DICTIONNAIRE FRANÇAIS-ANGLAIS ILLUSTRÉ

Tony Wolf

DICTIONNAIRE FRANÇAIS-ANGLAIS ILLUSTRÉ

Image et Page

© 1992 Editions Image et Page-Flammarion 4
19 rue Visconti, 75006 Paris
pour l'edition française
© Dami International B.V.

**Imprimé en Italie
par Officine Grafiche De Agostini
relié par Legatoria del Verbano S.p.A.**

A

À – AT  TO

ABEILLE – BEE

ABRICOT – APRICOT

ABSENT – ABSENT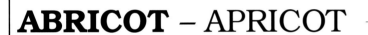

ACHETER – TO BUY

ACROBATE – ACROBAT

ADRESSE – ADDRESS

AÉROPORT – AIRPORT

AIGLE – EAGLE

AIGUILLE – NEEDLE

AIMER – TO LIKE

AINSI – SO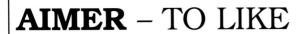

AIR – AIR

À L'AIDE – HELP

ALLER – TO GO

ALLUMETTE – MATCH

AMI – FRIEND

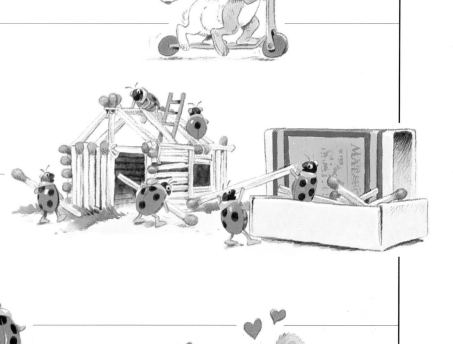

AMOUR – LOVE

ANANAS – PINEAPPLE

ÂNE – DONKEY

ANIMAL – ANIMAL

ANNIVERSAIRE – BIRTHDAY

APPAREIL PHOTOGRAPHIQUE – CAMERA

APPELER – TO CALL

APPRENDRE – TO LEARN

APRÈS – AFTER

APRÈS-MIDI – AFTERNOON

ARAIGNÉE – SPIDER

ARBRE – TREE

ARC-EN-CIEL – RAINBOW

ARGENT – MONEY

ARITHMÉTIQUE – ARITHMETIC

ARMOIRE – CUPBOARD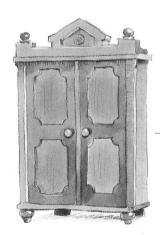

ARRÊTER(S') – TO STOP

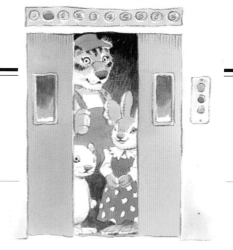

ASCENSEUR – LIFT

ASPIRATEUR – VACUUM-CLEANER

ASTRONAUTE – ASTRONAUT

ATTENDRE – TO WAIT FOR

AUJOURD'HUI – TODAY

AUSSI – ALSO

AUTO-STOP – HITCH-HIKING

AUTOBUS – BUS

AUTOMOBILE – CAR

AUTRUCHE – OSTRICH

AVANT – BEFORE

AVEC –  WITH

AVION – AIRPLANE

AVOIR – TO HAVE

B

BAGUE – RING

BAISER – KISS

BALAI – BROOM

BALANCE – SCALE

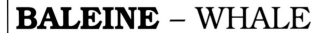

BALEINE – WHALE

BALLON – BALL

BANANE – BANANA

BANC (d'école) – BENCH   (DESK)

BANQUE – BANK

BAS (EN) – DOWN

BATEAU – BOAT

BÂTON – STICK

BEAUCOUP – MANY

BEAUCOUP – MUCH

BÉBÉ – BABY

BELLE – BEAUTIFUL

BÊTISE – STUPIDITY

BEURRE – BUTTER

BICYCLETTE – BICYCLE

BIEN – WELL

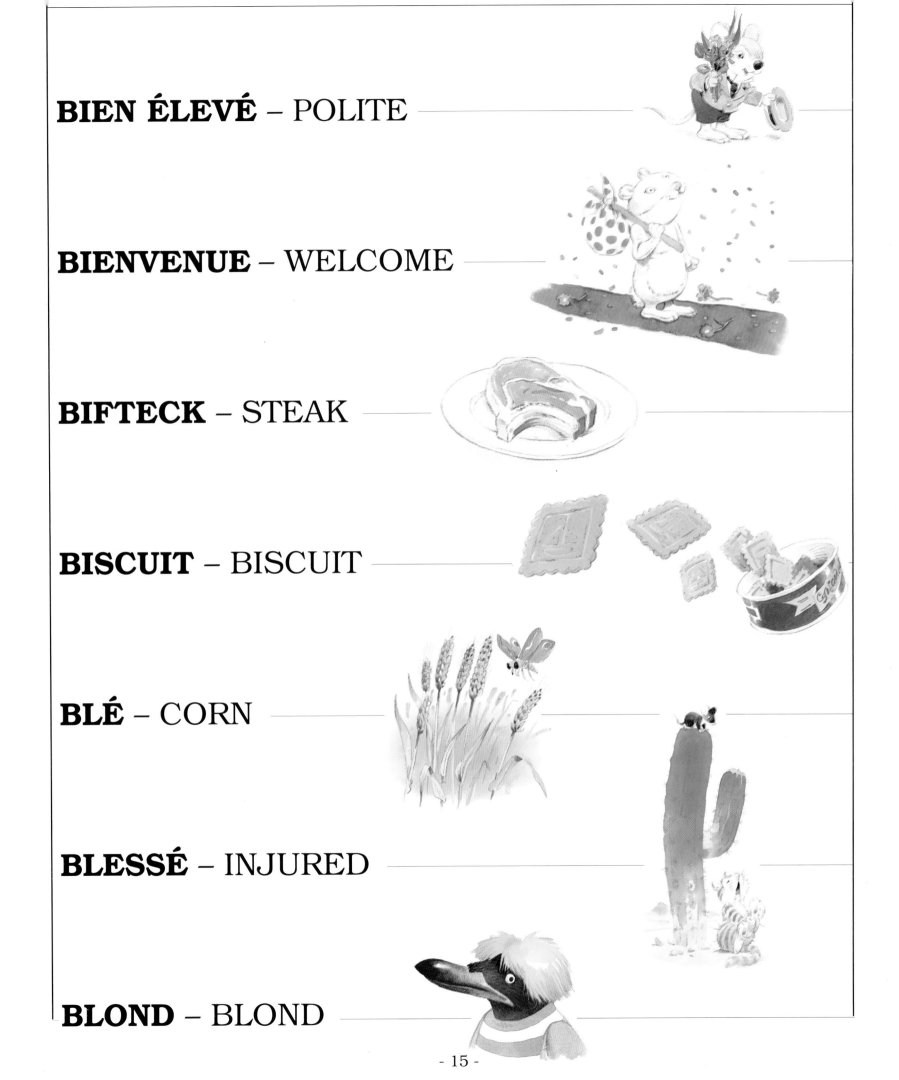

BIEN ÉLEVÉ – POLITE

BIENVENUE – WELCOME

BIFTECK – STEAK

BISCUIT – BISCUIT

BLÉ – CORN

BLESSÉ – INJURED

BLOND – BLOND

BOIRE – TO DRINK

BOIS – WOOD

BOÎTE – BOX

BON – GOOD

BONBON – SWEET

BOUCHE – MOUTH

BOUTEILLE – BOTTLE

BOUTON – BUTTON

BRANCHE – BRANCH

BRAS – ARM

BROSSE – BRUSH

BROUILLARD – FOG

BRUIT – NOISE

BUREAU – OFFICE

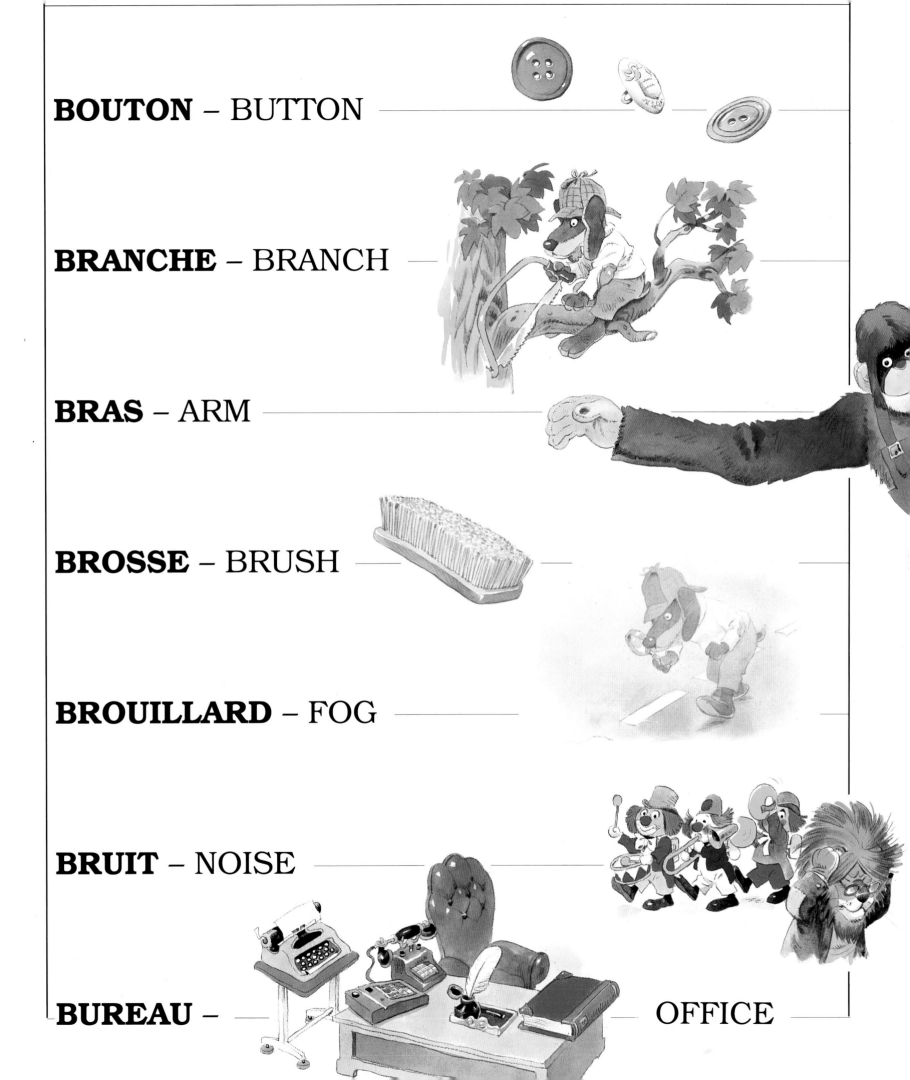

C

CADEAU – PRESENT

CAFÉ – COFFEE

CAHIER – EXERCISE-BOOK

CAMION – LORRY (TRUCK (USA))

CAMPAGNE – COUNTRYSIDE

CANARD – DUCK

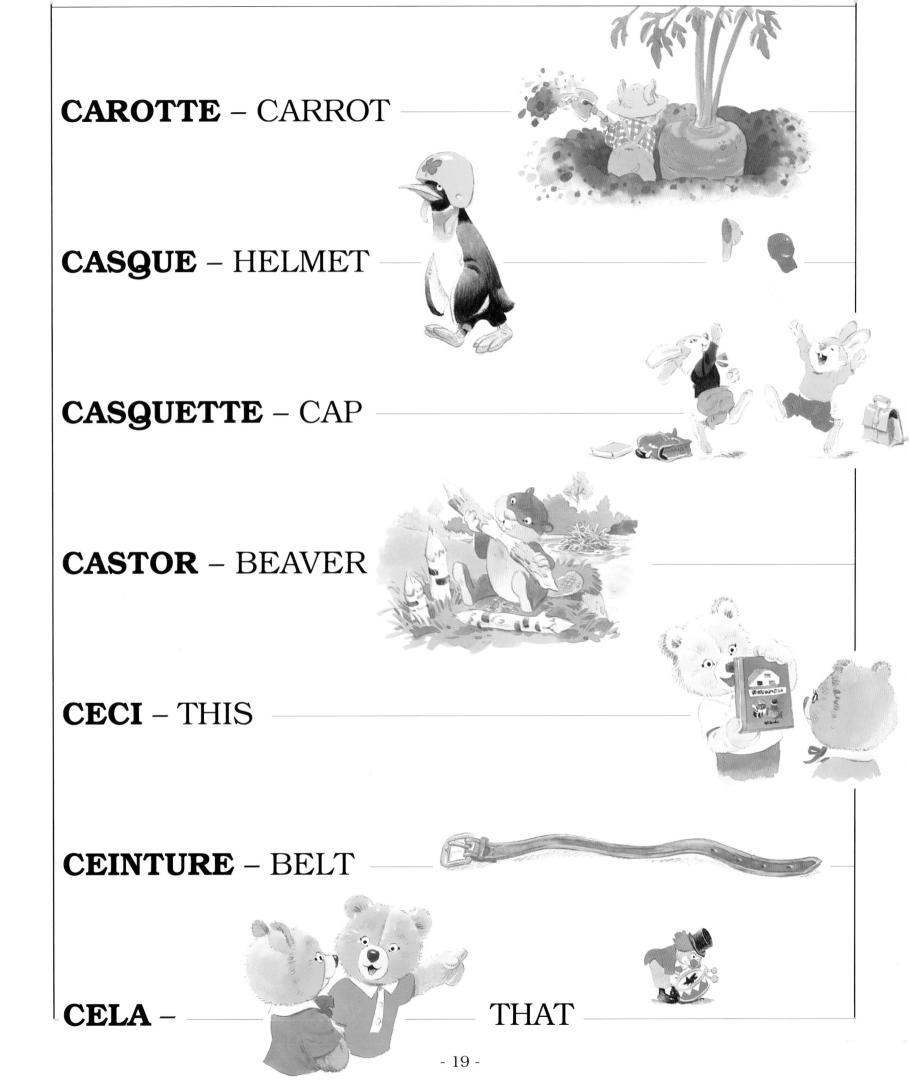

CAROTTE – CARROT

CASQUE – HELMET

CASQUETTE – CAP

CASTOR – BEAVER

CECI – THIS

CEINTURE – BELT

CELA – THAT

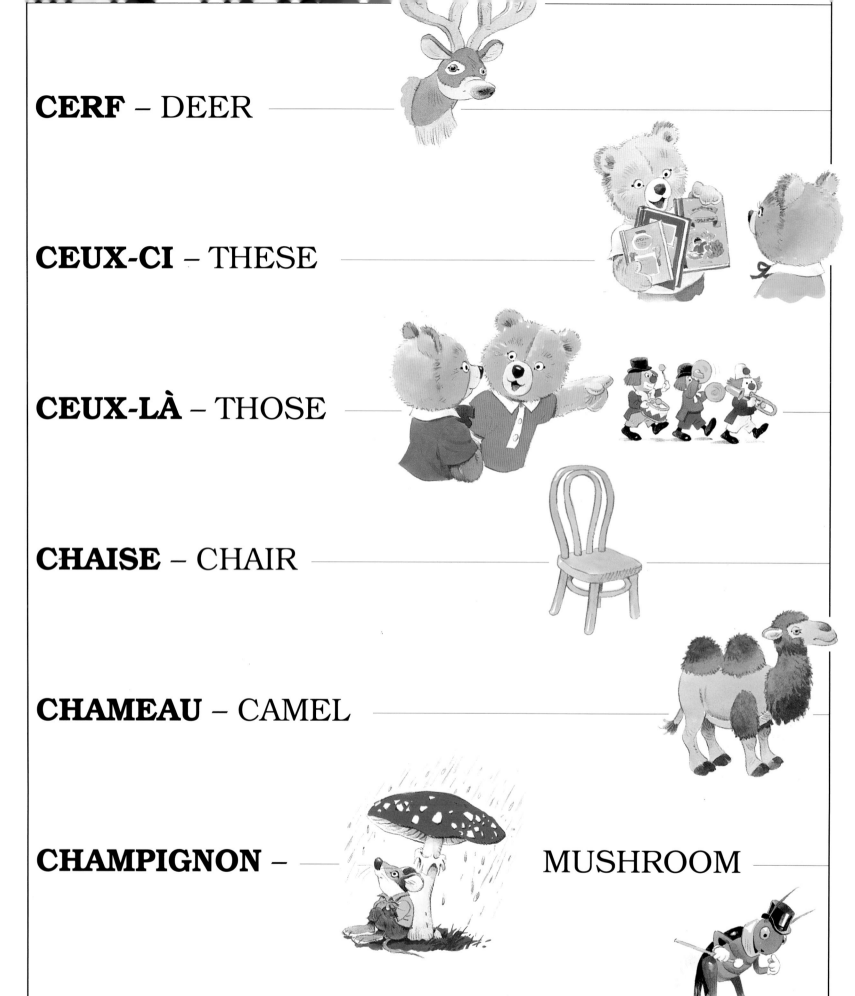

CERF – DEER

CEUX-CI – THESE

CEUX-LÀ – THOSE

CHAISE – CHAIR

CHAMEAU – CAMEL

CHAMPIGNON – MUSHROOM

CHANCE – LUCK

CHANTEUSE – SINGER

CHAPEAU – HAT

CHASSEUR – HUNTER

CHAT – CAT

CHÂTAIGNE – CHESTNUT

CHÂTEAU – CASTLE

CHAUD – HOT

CHAUSSETTE – SOCK

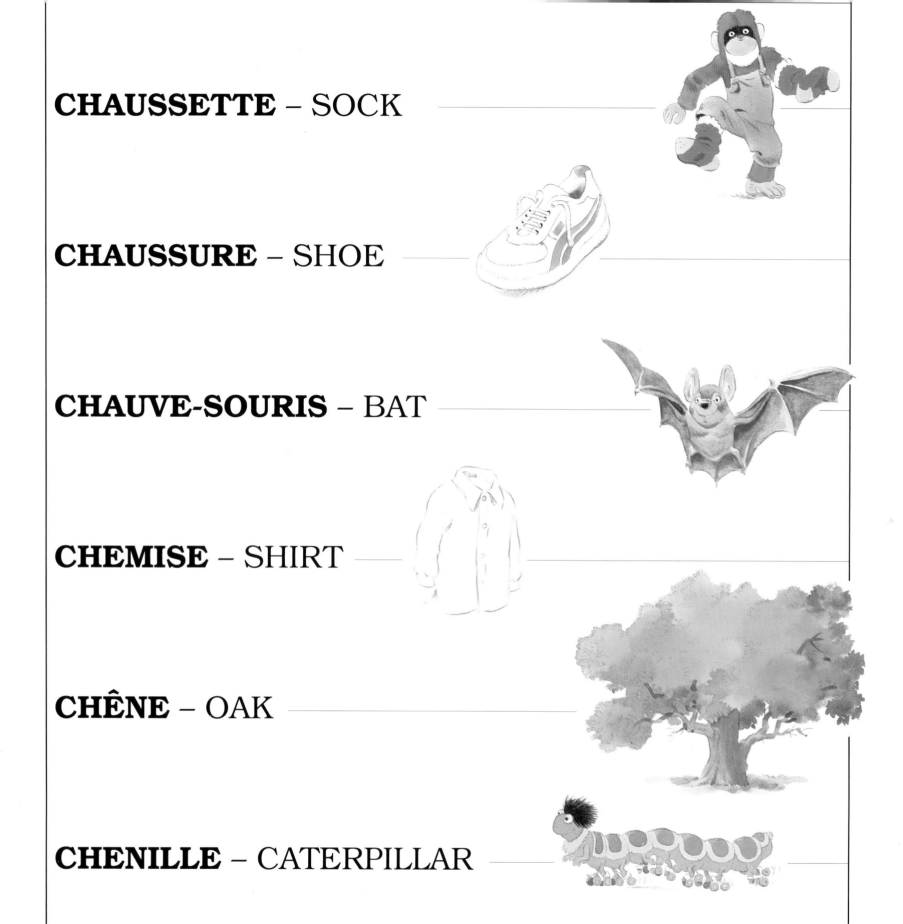

CHAUSSURE – SHOE

CHAUVE-SOURIS – BAT

CHEMISE – SHIRT

CHÊNE – OAK

CHENILLE – CATERPILLAR

CHER, CHÈRE – DEAR

CHEVAL – HORSE

CHEVEUX – HAIR

CHÈVRE – GOAT

CHOCOLAT – CHOCOLATE

CHOU – CABBAGE

CIEL – SKY

CINÉMA – CINEMA

CIRQUE – CIRCUS

CISEAUX – SCISSORS

CITRON – LEMON

CLÉ – KEY

COCCINELLE – LADYBIRD

COEUR – HEART

COFFRE-FORT – SAFE

COIFFEUR – HAIRDRESSER

COLLIER – NECKLACE

COMBIEN? – HOW MUCH ?

COMPRENDRE – TO UNDERSTAND

COMPTER – TO COUNT

CONDUIRE – TO DRIVE

CONFITURE – JAM

CONTRE – AGAINST

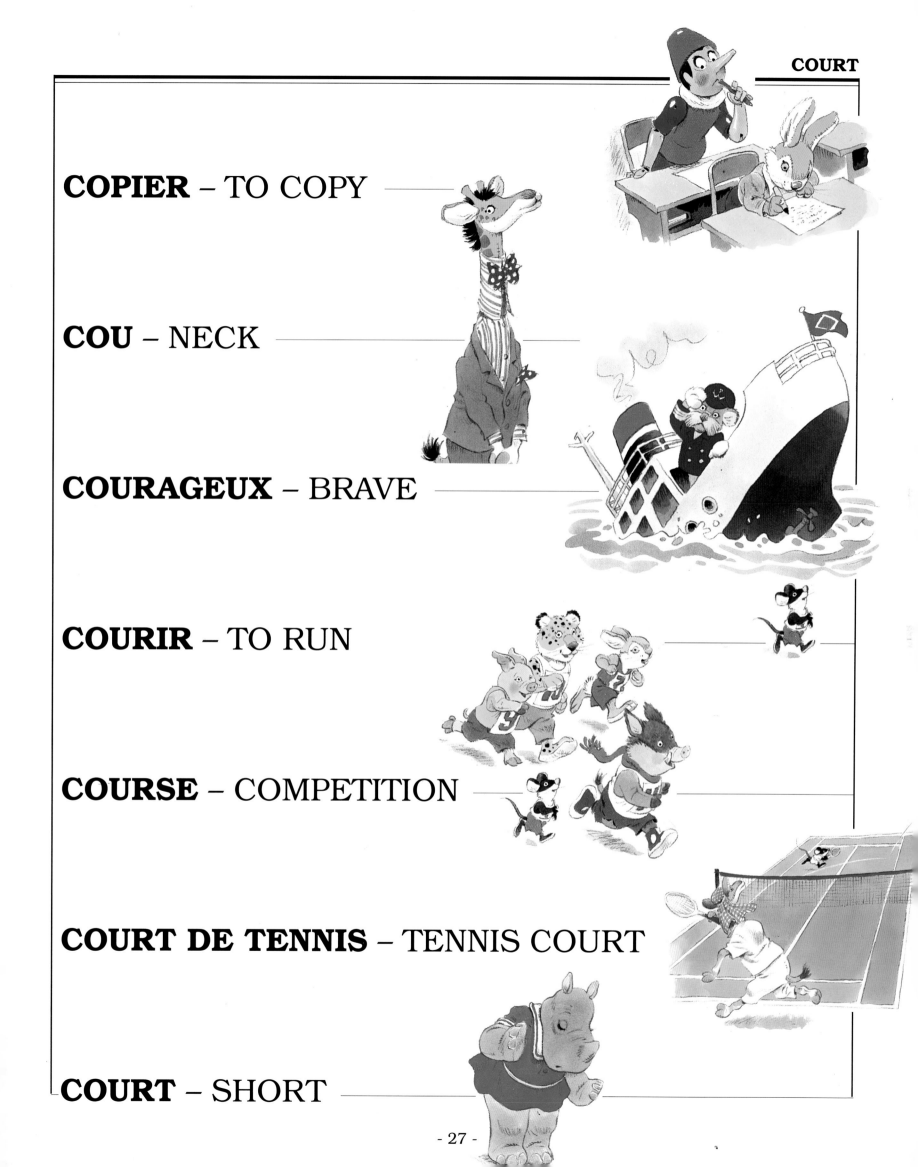

COPIER – TO COPY

COU – NECK

COURAGEUX – BRAVE

COURIR – TO RUN

COURSE – COMPETITION

COURT DE TENNIS – TENNIS COURT

COURT – SHORT

COUTEAU – KNIFE

COUVERTURE – BLANKET

CRAVATE – TIE

CRAYON – PENCIL

CUILLÈRE – SPOON

CUISINIER – COOK

CULTIVATEUR – FARMER

D

DAME – LADY

DANGER – DANGER

DANS – IN

DANSER – TO DANCE

DAUPHIN – DOLPHIN

DE – FROM

DE – OF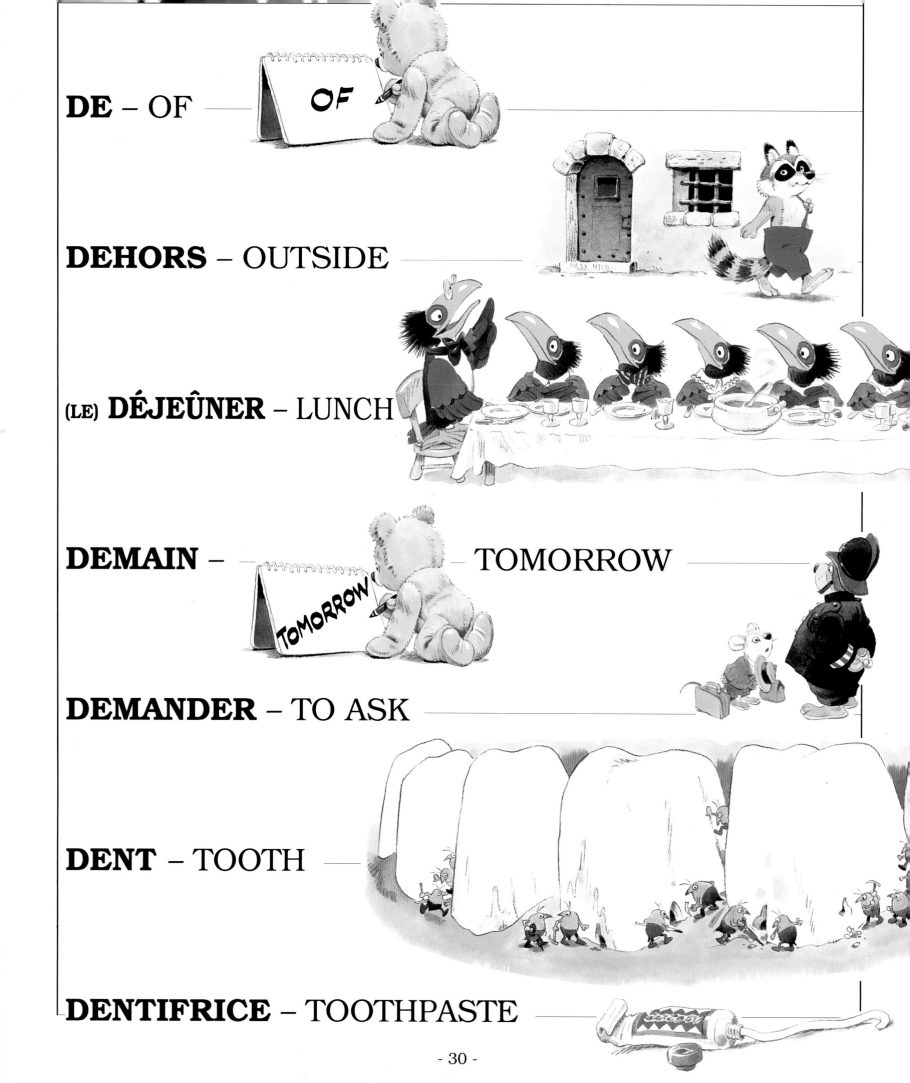

DEHORS – OUTSIDE

(LE) DÉJEÛNER – LUNCH

DEMAIN – TOMORROW

DEMANDER – TO ASK

DENT – TOOTH

DENTIFRICE – TOOTHPASTE

DENTISTE – DENTIST

DERRIÈRE – BEHIND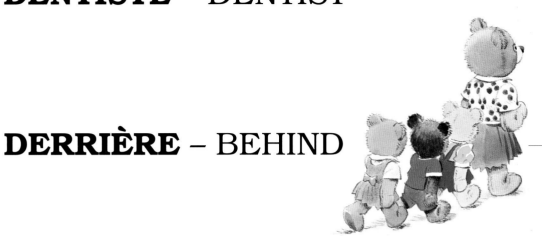

DESCENDRE – TO GO DOWN

DÉSORDRE – MESS

DESSERT – DESSERT

DESSIN – DRAWING

DESSIN ANIMÉ – CARTOONS

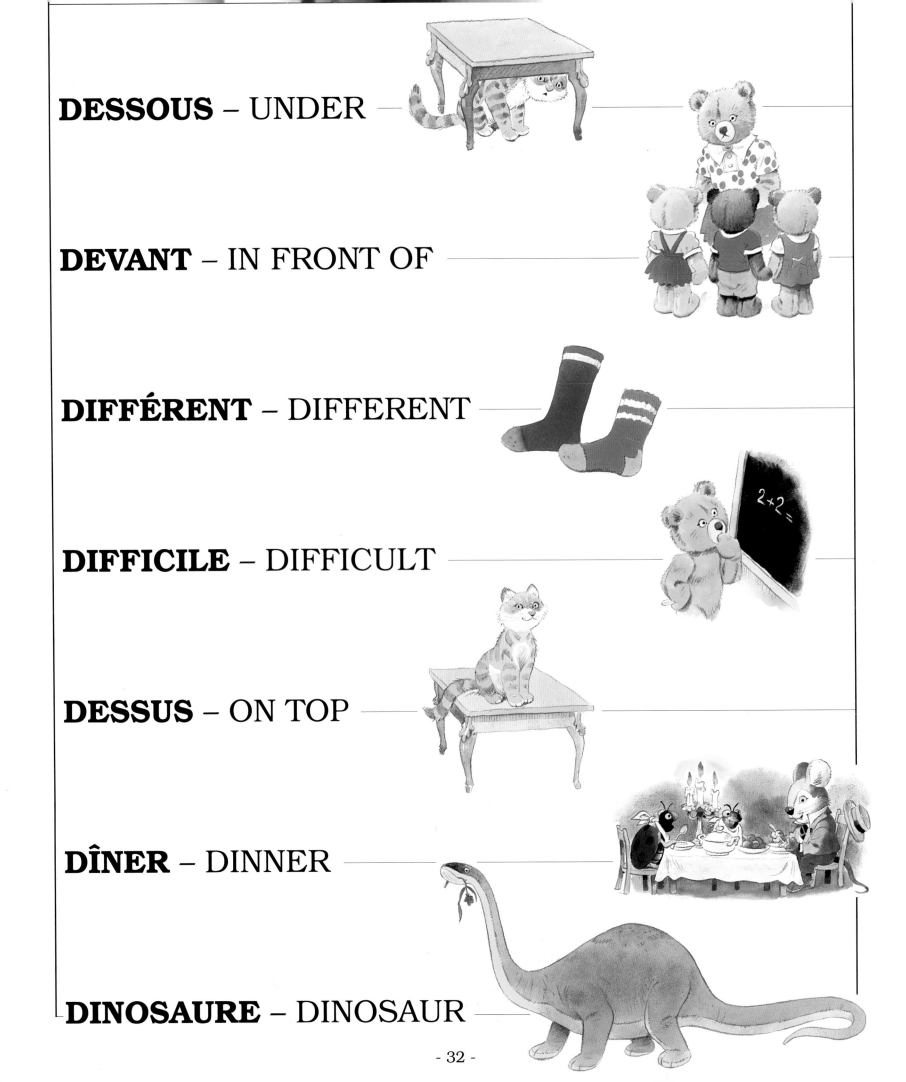

DESSOUS – UNDER

DEVANT – IN FRONT OF

DIFFÉRENT – DIFFERENT

DIFFICILE – DIFFICULT

DESSUS – ON TOP

DÎNER – DINNER

DINOSAURE – DINOSAUR

DOCTEUR – DOCTOR

DOIGT – FINGER

DONNER – TO GIVE

DORMIR – TO SLEEP

DOUCHE – SHOWER

DRAPEAU – FLAG

DROITE (à) – (On the) RIGHT

E

EAU – WATER

ÉCHELLE – LADDER

ÉCHO – ECHO

ÉCLAIRER – TO LIGHTEN

ÉCOLE – 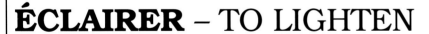 SCHOOL

ÉCOUTER – TO LISTEN

ÉCRIRE – TO WRITE

ÉCUREUIL – SQUIRREL

ÉGLISE – CHURCH

ÉLÉGANT – ELEGANT

ÉLÉPHANT – ELEPHANT

ÉLÈVE – PUPIL

ENFANTS – CHILDREN

ENNUYER(S') – TO BE BORED

ENSEMBLE – TOGETHER

ENTENDRE – TO HEAR

ENTRE – BETWEEN

ENTRÉE – ENTRANCE

ENVELOPPE – ENVELOPE

ÉPÉE – SWORD

ÉPINARDS – SPINACH

ERREUR – MISTAKE

ESCARGOT – SNAIL

ESSAYER – TO TRY

ESSENCE – PETROL

ET – AND

ÉTOILE – STAR

ÊTRE – TO BE

ÉTUDIER – TO STUDY

EXACT – CORRECT

EXAMEN – EXAM

EXCUSEZ-MOI – SORRY!

EXERCICE – EXERCISE

EXPLORATEUR – EXPLORER

F

FABLE – FABLE

FACILE – EASY

FACTEUR – POSTMAN

FAIM (avoir) – TO BE HUNGRY

FAIRE – TO DO

FATIGUÉ – TIRED

FAUTEUIL – ARMCHAIR

FÉE – FAIRY

FENÊTRE – WINDOW

FERME – FARM

FERMÉ –  CLOSED

FÊTE – PARTY

FEU –  FIRE

FEUILLE – LEAF

FIÈVRE – TEMPERATURE

FILLE – GIRL

FILM – FILM

FIN – END

FLEUR – FLOWER

FORT – STRONG

FOURCHETTE – FORK

FOURMI – ANT

FRAISE – STRAWBERRY

FRÈRE – BROTHER

FROID – COLD

FROMAGE – CHEESE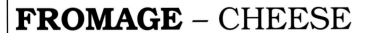

FRUIT – FRUIT

G

GANT – GLOVE

GARAGE – GARAGE

GARÇON – BOY

GARE – STATION

GÂTEAU – CAKE

GAUCHE (à)– (On the) LEFT

GENTIL – KIND

GIRAFE – GIRAFFE

GLACE – ICE

GOLF – GOLF COURSE

GOMME – RUBBER

GORILLE – GORILLA

GRAND – TALL

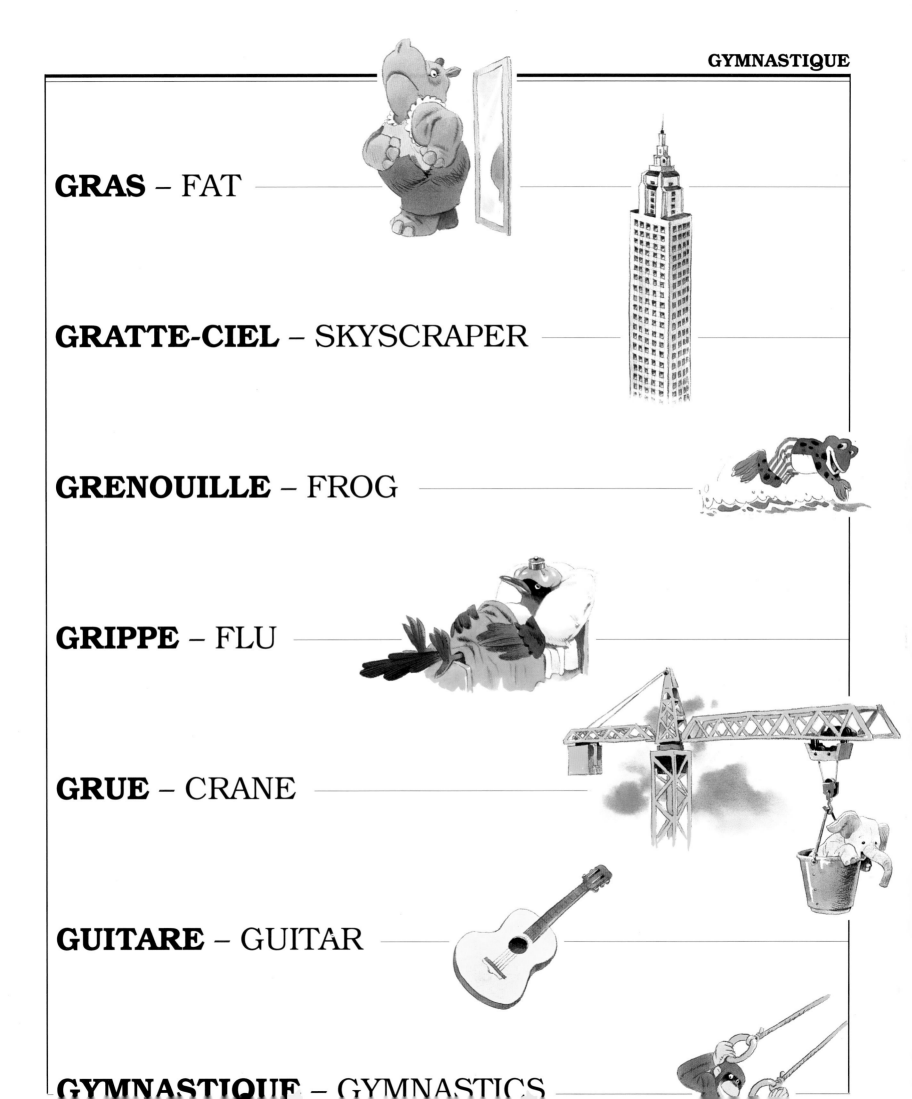

GRAS – FAT

GRATTE-CIEL – SKYSCRAPER

GRENOUILLE – FROG

GRIPPE – FLU

GRUE – CRANE

GUITARE – GUITAR

GYMNASTIQUE – GYMNASTICS

H

HABILLÉ – DRESSED

HABITER – TO LIVE

HARICOT – BEAN

HÉLICOPTÈRE – HELICOPTER

HERBE – GRASS

HEURE – TIME

HEUREUX – HAPPY

HIER – YESTERDAY

HIPPOPOTAME – HIPPOPOTAMUS

HISTOIRE – STORY

HOMME – MAN

HÔPITAL – HOSPITAL

HÔTEL – HOTEL

I

ICI – HERE

IDÉE – IDEA

ÎLE – ISLAND

IMAGE – IMAGE

IMPERMÉABLE – RAINCOAT

IMPORTANT – IMPORTANT

INCENDIE – FIRE

INDIEN – INDIAN

INDIQUER – TO POINT TO

INFIRMIÈRE – NURSE

INTELLIGENT – CLEVER

INTERDIT – FORBIDDEN

INTERROGER – TO QUESTION

J

JAMAIS – NEVER

JAMBE – LEG

JAMBON – HAM

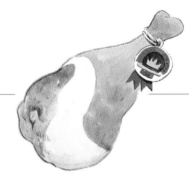

JARDIN – GARDEN

JEUNE – YOUNG

JOLI – PRETTY

JOUER – TO PLAY

JOUET – TOY

JOUR – DAY

JOURNAL – NEWSPAPER

JUGE – JUDGE

JUMEAUX – TWINS

JUPE – SKIRT

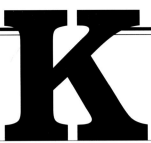

K

KANGOUROU – KANGAROO

KÉPI – KEPI

KILOGRAMME – KILO

KIOSQUE – NEWSSTAND

KIWI – KIWI

KOALA – KOALA

L

LÀ – THERE

LAC – LAKE

LAINE – WOOL

LAIT – MILK

LAMPE – LAMP

LANGUE – TONGUE – LANGUAGE

おふろだ

LAVER – TO WASH

LEÇON – LESSON

LÉGER – LIGHT

LENT – SLOW

LETTRE – LETTER

LIÈVRE – HARE

LION – LION

LIRE – TO READ

LIT – BED

LIVRE – BOOK

LOIN – FAR

LOUP – WOLF

LUMIÈRE – LIGHT

LUNE – MOON

M

MACHINE À LAVER LE LINGE – WASHING-MACHINE

MAGASIN – SHOP

MAGAZINE – MAGAZINE

MAGICIEN – MAGICIAN

MAIGRE – THIN

MAIN – HAND

MAINTENANT – NOW

MAIS – BUT

MAISON (chez moi) – (AT) HOME

MAÎTRESSE – TEACHER

MALADE – ILL

MANGER – TO EAT

MANTEAU – COAT

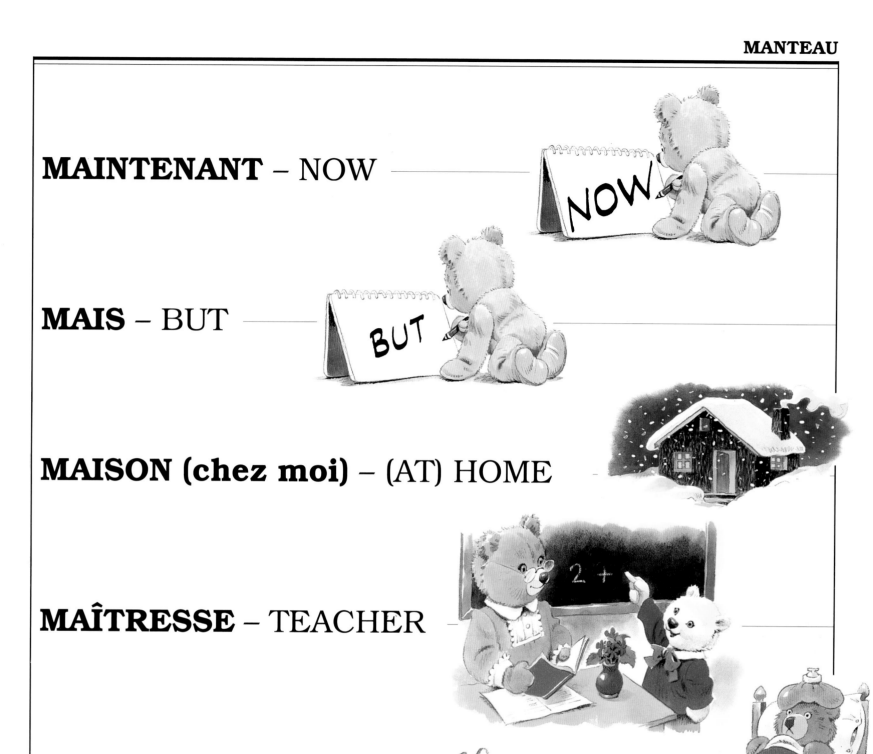

MARCHER – TO WALK

MARGUERITE – DAISY

MARIN – SAILOR

MARTEAU – HAMMER

MATIN – MORNING

MAUVAIS – BAD

MÉCHANT – BAD

MÉDICAMENT – MEDICINE

MENSONGE – LIE

MER – SEA

MERCI – THANK YOU

MIDI – MIDDAY

MIEL – HONEY

MINUIT – MIDNIGHT

MIROIR – MIRROR

MONDE – WORLD

MONTAGNE – MOUNTAIN

MONTER – TO GO UP

MONTRE – WATCH

MONTRER – TO SHOW

MOTOCYCLETTE – MOTORBIKE

MOUCHE – FLY

MOUCHOIR – HANDKERCHIEF

MOUILLÉ – WET

MOUSTIQUE – MOSQUITO

MOUTON – SHEEP

MUR – WALL

MUSIQUE – MUSIC

N

NAGER – TO SWIM

NAPPE – TABLE-CLOTH

NATURE – NATURE

NEIGE – SNOW

NEZ – NOSE

NŒUD – KNOT

NOIX – WALNUT

NOM – NAME

NOMBRE – NUMBER

NON – NO

NOUVEAU – NEW

NUAGE – CLOUD

NUIT – NIGHT

O

OBSERVER – TO LOOK AT

OCÉAN – OCEAN

ODEUR – SMELL

ŒIL – EYE

OEUF – EGG

OIE – GOOSE

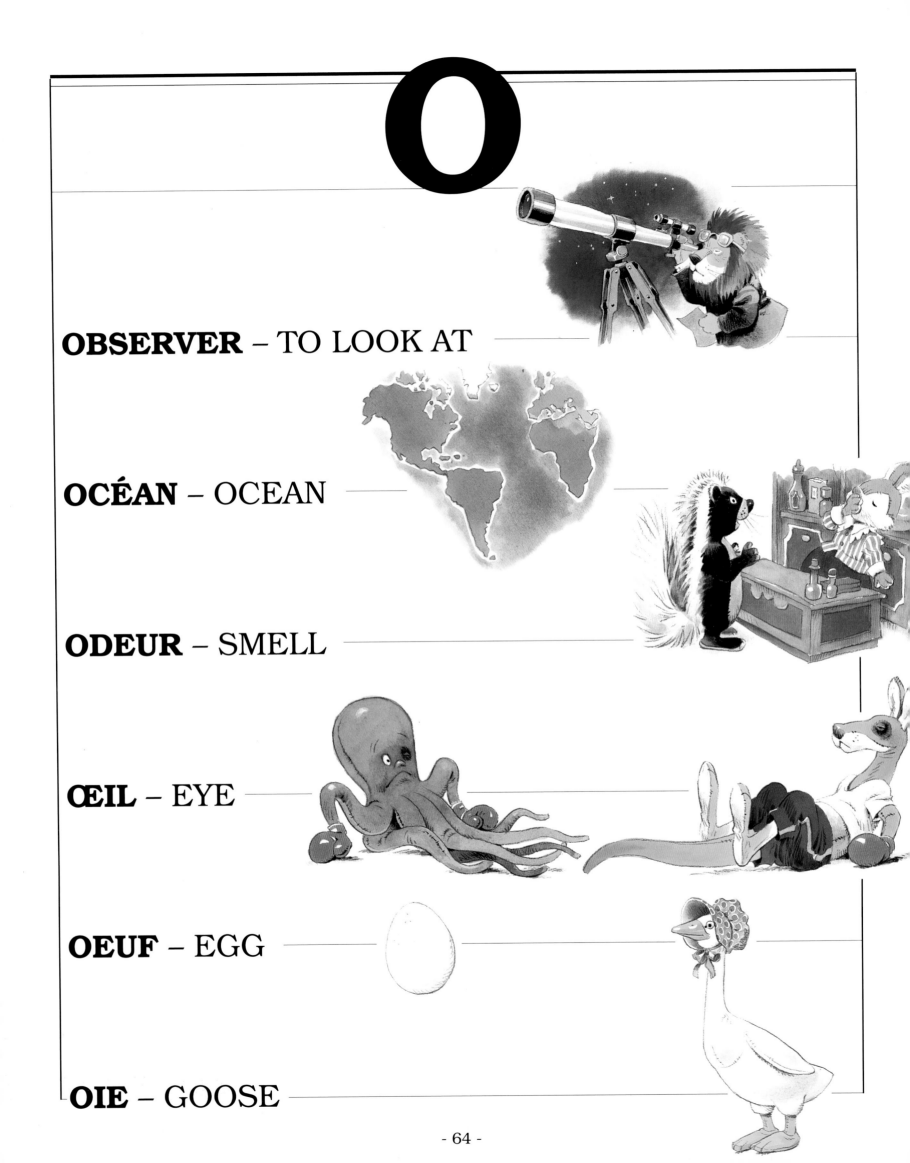

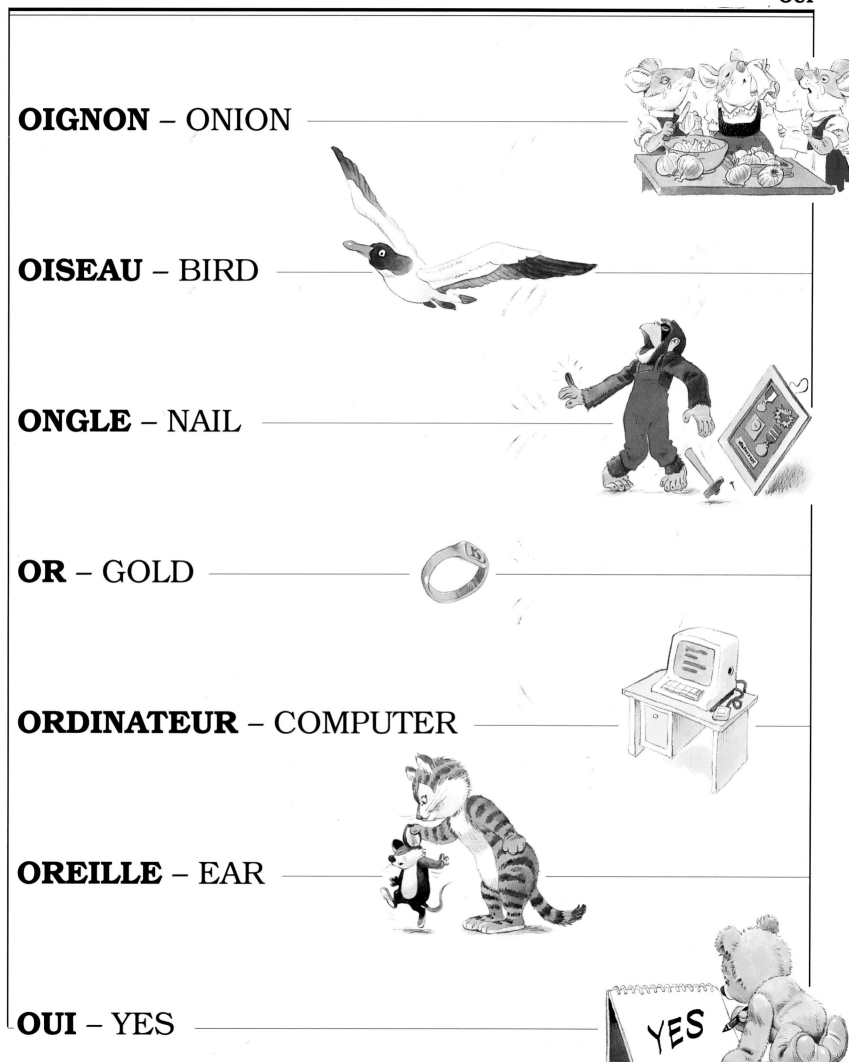

OIGNON – ONION

OISEAU – BIRD

ONGLE – NAIL

OR – GOLD

ORDINATEUR – COMPUTER

OREILLE – EAR

OUI – YES

P

PAGE – PAGE

PAIN – BREAD

PAMPLEMOUSSE – GRAPEFRUIT

PANDA – PANDA

PANTALON – TROUSERS

PAPIER – PAPER

PAPILLON – BUTTERFLY

PARACHUTE – 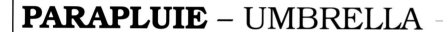 PARACHUTE

PARAPLUIE – UMBRELLA

PARC – PARK

PARLER – TO SPEAK

PARTIR – TO LEAVE

PASSEPORT – PASSPORT

PATINER – TO SKATE

PÊCHE – PEACH

PÊCHEUR – FISHERMAN

PEIGNE – COMB

PEINTRE – PAINTER

PEINTURE – PICTURE

PELOUSE – LAWN

PENSER – TO THINK

PERDRE – TO LOSE

PÈRE NÖEL – FATHER CHRISTMAS

PERROQUET – PARROT

PETIT DÉJEUNER – BREAKFAST

PETIT – SMALL

PETIT POIS – PEA

PEU – LITTLE

PEUR (avoir) – TO BE AFRAID

PHOQUE – SEAL

PHOTOGRAPHIE – PHOTOGRAPH

PIED – FOOT

PISCINE – SWIMMING-POOL

PLAGE – BEACH

PLEIN – FULL

PLEURER – TO CRY

PLUIE – RAIN

POCHE – POCKET

POIRE – PEAR

POISSON – FISH

POLICIER – POLICEMAN

POLLUTION – POLLUTION

POMME – APPLE

POMME DE TERRE – POTATO

PONT – BRIDGE

PORTAIL – GATE

PORTE – DOOR

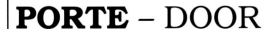

PORTER – TO CARRY

POTAGE – SOUP

POTIRON – PUMPKIN

POULE – HEN

POUPÉE – DOLL

POUR – FOR

POURQUOI? – WHY?
PARCE QUE – BECAUSE

POUSSER – TO PUSH

POUVOIR – CAN

PRENDRE – TO TAKE

PRÈS – NEAR

PRIX – PRIZE

PROPRE – CLEAN

PULL-OVER – SWEATER

PYJAMA – PYJAMAS

Q

QUAND – WHEN

QU'EST CE QUE C'EST? – WHAT IS IT?

QUESTION – QUESTION

QUESTIONNER – TO QUESTION

QUEUE – TAIL

QUOTIDIEN – DAILY

R

RACONTER – TO TELL

RADEAU – RAFT

RADIO – RADIO

RAISIN – GRAPES

RANGER – TO TIDY

RAPIDE – FAST

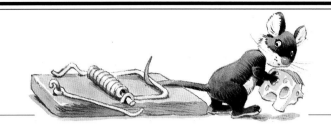

RAT – RAT

RÉFRIGÉRATEUR – FRIDGE

RÈGLE – RULER

REINE – QUEEN

RENARD – FOX

RENSEIGNEMENT – INFORMATION

RÉPÉTER – TO REPEAT

RÉPONSE – ANSWER

RESTAURANT – RESTAURANT

RÉVEIL – ALARM CLOCK

RHINOCÉROS – RHINOCEROS

RICHE – RICH

RIRE – TO LAUGH

RIVIÈRE – RIVER

RIZ – RICE

ROBOT – ROBOT

ROI – KING

ROSE – ROSE

ROUE – WHEEL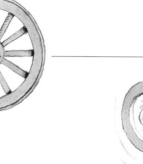

ROULER – TO ROLL

ROUTE – ROAD

S

SABLE – SAND

SAC – BAG

SAC À DOS – RUCKSACK

SAGE – QUIET

SALADE – SALAD

SALE – DIRTY

SALLE (de classe) – CLASSROOM

SALUT – HELLO  BYE-BYE

SANS – WITHOUT

SANTÉ (en bonne) – HEALTHY

SAPIN – FIR (TREE)

S'ASSEOIR – TO SIT DOWN

SAUCISSE – SAUSAGE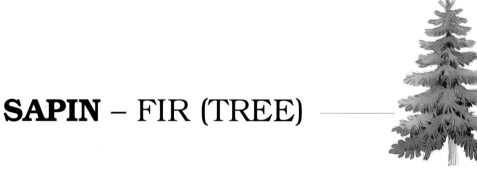

SAUTER – TO JUMP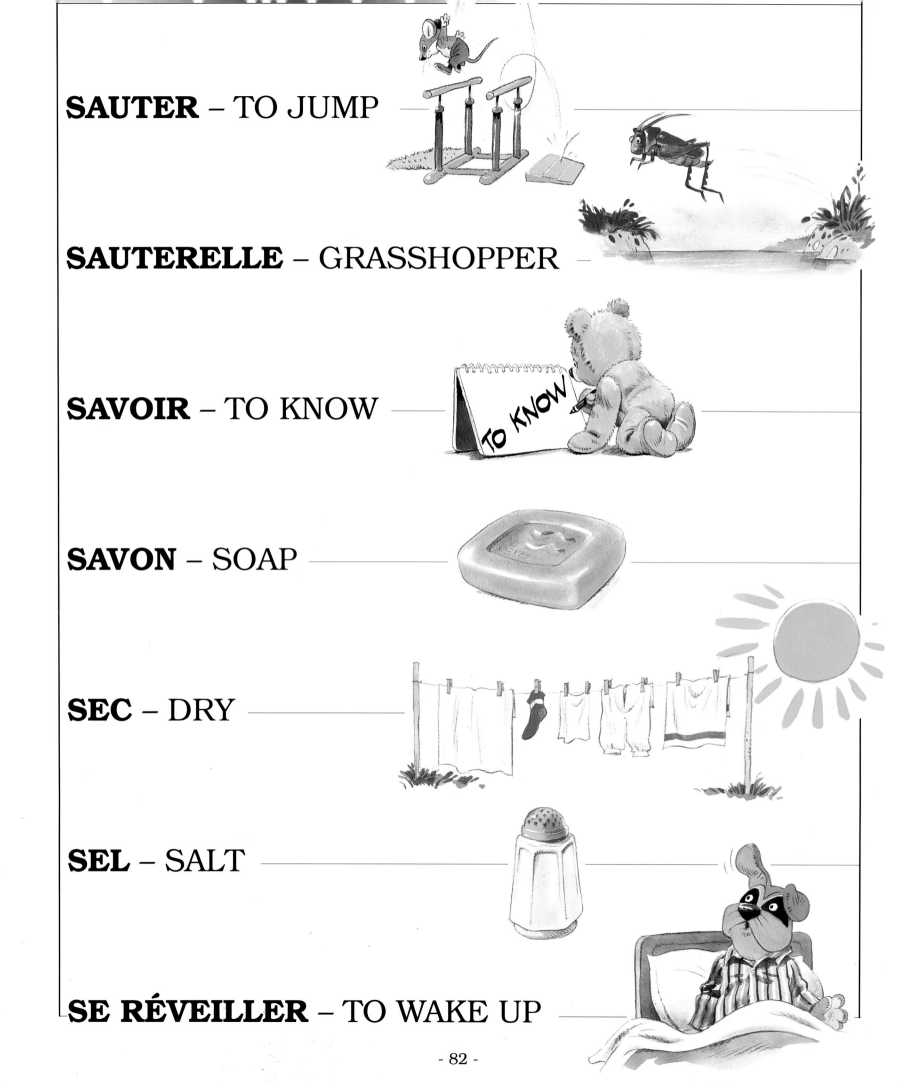

SAUTERELLE – GRASSHOPPER

SAVOIR – TO KNOW

SAVON – SOAP

SEC – DRY

SEL – SALT

SE RÉVEILLER – TO WAKE UP

SERPENT – SNAKE

SERVIETTE – TOWEL

SERVIETTE DE TABLE – NAPKIN

SEULEMENT – ONLY

SI – IF

S'IL VOUS PLAÎT – PLEASE

SINGE – MONKEY

SKI – SKI

SLIP – PANTS

SOEUR – SISTER

SOIF (avoir) – TO BE THIRSTY

SOIR – EVENING

SOLDAT – SOLDIER

SOLEIL – SUN

SONNER – TO RING

SONNETTE – BELL

SORTIR – TO GO OUT

SOURIRE – TO SMILE

SOURIS – MOUSE

SOUS – UNDER

SOUS-MARIN – SUBMARINE

SOUVENT – OFTEN

SPORT – SPORT

STYLO – PEN

SUCRE – SUGAR

SUR – ON

SURPRISE – SURPRISE

SUSPENDRE – TO HANG

T

TABLE – TABLE

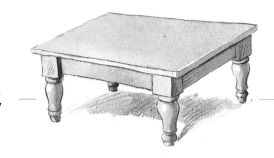

TABLEAU NOIR – BLACKBOARD

TAPIS – CARPET

TASSE – CUP

TAXI – TAXI

TÉLÉPHONE – TELEPHONE

TÉLÉVISION – TELEVISION

TÊTE – HEAD

THÉ – TEA

THÉÂTRE – THEATRE

TIGRE – TIGER

TIMBRE – STAMP

TIRER – TO PULL

TOIT – ROOF

TOMATE – TOMATO

TORTUE – TORTOISE

TOUJOURS – ALWAYS

TOUT – ALL

TRAIN – TRAIN

TRAÎNEAU – SLEIGH

TRAVAILLER – TO WORK

TRAVERSER – TO CROSS

TRÈS – VERY

TRÉSOR – TREASURE

TRICOTER – TO KNIT

TROMPETTE – TRUMPET

TROU – HOLE

U

UNIFORME – UNIFORM

UNION – UNION

UNIVERS – UNIVERSE

UN UNE – A AN

USINE – FACTORY

UTILE – USEFUL

V

VACANCES – HOLIDAY

VALISE – SUITCASE

VASE – VASE

VENIR – TO COME

VENT – WIND

VENTRE – TUMMY

VERRE – GLASS

VESTE – JACKET

VÊTEMENTS – CLOTHES

VIANDE – MEAT

VIEUX – OLD

VILLE – CITY

VIN – WINE

VISAGE – FACE

VITRE – GLASS

VOILE – SAIL

VOIR – TO SEE

VOLER – TO FLY

VOULOIR – TO WANT

To WANT

VOYAGER – TO TRAVEL

W

WAGON – WAGON

WATER/CABINET – WATER CLOSET

WHISKY – WHISKEY

X

XYLOPHONE – XILOPHONE

Y

YAOURT – YOGHOURT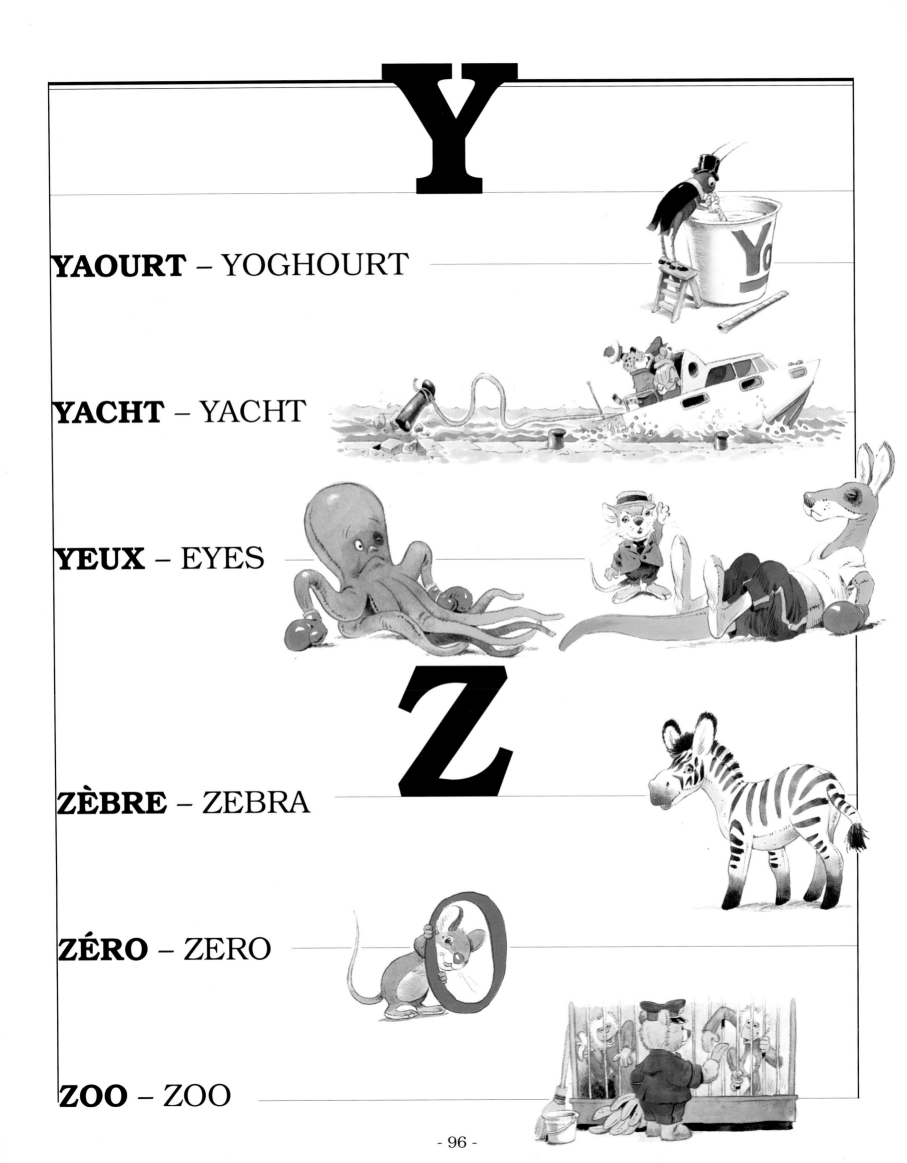

YACHT – YACHT

YEUX – EYES

Z

ZÈBRE – ZEBRA

ZÉRO – ZERO

ZOO – ZOO

ROUGE – RED  **ROSE** – PINK

JAUNE – YELLOW **MARRON** – BROWN

BLEU – BLUE

VERT – GREEN

ORANGE – ORANGE

VIOLET – PURPLE

BLANC – WHITE 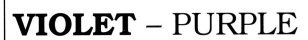 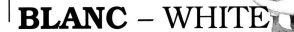 **NOIR** – BLACK

ZÉRO – ZERO

UN – ONE

DEUX – TWO

TROIS – THREE

QUATRE – FOUR

CINQ – FIVE

SIX – SIX

SEPT – SEVEN — 7

HUIT – EIGHT 8

NEUF – NINE — 9

DIX – TEN — 10

CENT – ONE HUNDRED — 100

MILLE – ONE THOUSAND 1000

LE PRINTEMPS – SPRING

L'ÉTÉ – SUMMER

L'AUTOMNE – AUTUMN

L'HIVER – WINTER

LUNDI – MONDAY

MARDI – TUESDAY

MERCREDI – WEDNESDAY

JEUDI – THURSDAY

VENDREDI – FRIDAY

SAMEDI – SATURDAY

DIMANCHE – SUNDAY

JANVIER – JANUARY

FÉVRIER – FEBRUARY

MARS – MARCH

AVRIL – APRIL

MAI – MAY

JUIN – JUNE

JUILLET – JULY

AOÛT – AUGUST

SEPTEMBRE – SEPTEMBER

OCTOBRE – OCTOBER

NOVEMBRE – NOVEMBER

DÉCEMBRE – DECEMBER

AMÉRICAIN – AMERICAN

JAPONAIS – JAPANESE

ARABE – ARAB

FRANÇAIS – FRENCH

ANGLAIS – ENGLISH

ALLEMAND – GERMAN

ITALIEN – ITALIAN

ESPAGNOL – SPANISH

BELGE – BELGIAN

SUISSE – SWISS

LES PARENTS – PARENTS

PAPA /LE PÈRE
DADDY/FATHER

MAMAN /LA MÈRE
MUMMY/MOTHER

LES ENFANTS – CHILDREN

LE FILS – SON

LA FILLE – DAUGHTER

LES GRANDS-PARENTS – GRANDPARENTS

LE GRAND-PÈRE – GRANDFATHER
LA GRAND-MÈRE – GRANDMOTHER

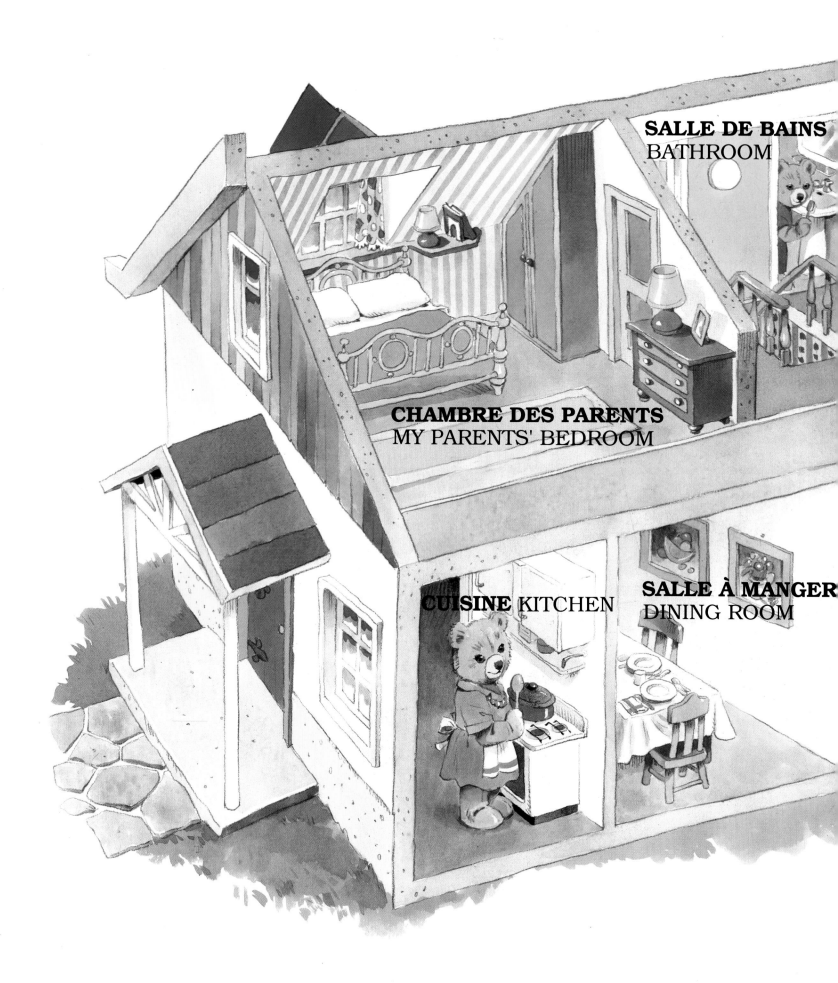

SALLE DE BAINS
BATHROOM

CHAMBRE DES PARENTS
MY PARENTS' BEDROOM

CUISINE KITCHEN

SALLE À MANGER
DINING ROOM

**CHAMBRE
À COUCHER**
BEDROOM

MA CHAMBRE
MY BEDROOM

SALON
LIVING ROOM

UN CARRÉ – A SQUARE

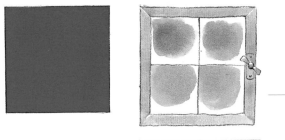

UN RECTANGLE – A RECTANGLE

UN TRIANGLE – A TRIANGLE

UN CERCLE – A CIRCLE

UN CÔNE – A CONE

UN PYRAMIDE – A PYRAMID

UN CUBE – A CUBE

PRONOMS PERSONNELS PERSONAL PRONOUNS	ADJECTIFS POSSESSIFS POSSESSIVE ADJECTIVES
JE – I	**MON - MA** – MY
TU – YOU	**TON - TA** – YOUR
IL – HE	**SON** – HIS
ELLE – SHE	**SA** – HER
IL - ELLE (OBJET) – IT	**SON - SA (OBJET)** – ITS
NOUS – WE	**NOTRE - NOS** – OUR
VOUS – YOU	**VOTRE - VOS** – YOUR
ILS - ELLES – THEY	**LEUR** – THEIR

L' ALPHABET ANGLAIS THE ENGLISH ALPHABET

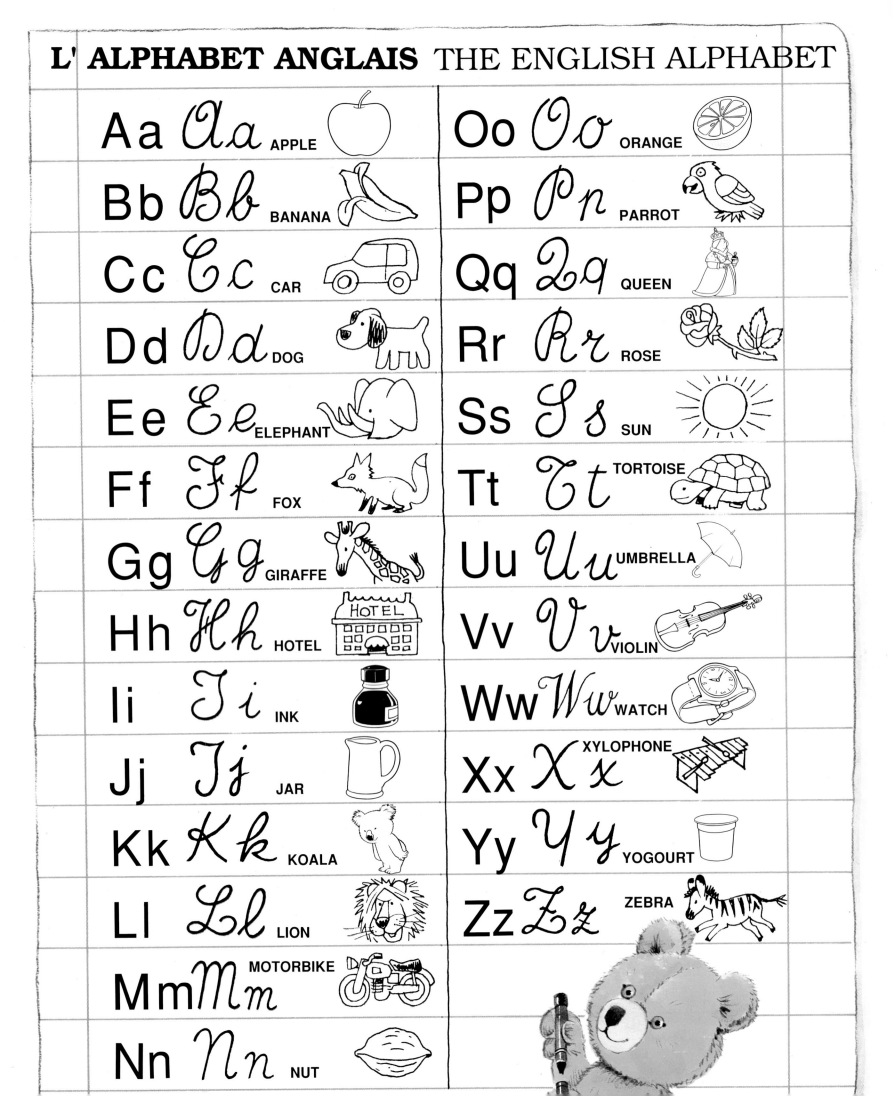

Aa *Aa* APPLE

Bb *Bb* BANANA

Cc *Cc* CAR

Dd *Dd* DOG

Ee *Ee* ELEPHANT

Ff *Ff* FOX

Gg *Gg* GIRAFFE

Hh *Hh* HOTEL

Ii *Ii* INK

Jj *Jj* JAR

Kk *Kk* KOALA

Ll *Ll* LION

Mm *Mm* MOTORBIKE

Nn *Nn* NUT

Oo *Oo* ORANGE

Pp *Pp* PARROT

Qq *Qq* QUEEN

Rr *Rr* ROSE

Ss *Ss* SUN

Tt *Tt* TORTOISE

Uu *Uu* UMBRELLA

Vv *Vv* VIOLIN

Ww *Ww* WATCH

Xx *Xx* XYLOPHONE

Yy *Yy* YOGOURT

Zz *Zz* ZEBRA

SOMMAIRE

FRANÇAIS	ANGLAIS	PRONONCIATION	FRANÇAIS	ANGLAIS	PRONONCIATION

A

FRANÇAIS	ANGLAIS	PRONONCIATION
À	AT- TO	ET - TU
ABEILLE	BEE	BII
ABRICOT	APRICOT	ÉIPRIKOT
ABSENT	ABSENT	ÈBSENT
ACHETER	TO BUY	TU BÀI
ACROBATE	ACROBAT	AKROBEIT
ADRESSE	ADDRESS	EDRÈS
AÉROPORT	AIRPORT	ÈAPORT
AIGLE	EAGLE	IGHL
AIGUILLE	NEEDLE	NIDL
AIMER	TO LIKE	TU LÀIK
AINSI	SO	SÒU
AIR	AIR	ÈAR
À L'AIDE	HELP	HELP
ALLER	TO GO	TU GÒU
ALLUMETTE	MATCH	MÈTCH
AMI	FRIEND	FREND
AMOUR	LOVE	LAV
ANANAS	PINEAPPLE	PÀINEPL
ÂNE	DONKEY	DÒNKI
ANIMAL	ANIMAL	ÉNIML
ANNIVERSAIRE	BIRTHDAY	BÉRTHDÉI
APPAREIL PHOTOGRAPHIQUE	CAMERA	KÈMERA
APPELER	TO CALL	TU KOL
APPRENDRE	TO LEARN	TU LERN
APRÈS	AFTER	ÀFTER
APRÈS-MIDI	AFTERNOON	AFTENÙN
ARAIGNÉE	SPIDER	SPÀIDAR
ARBRE	TREE	TRI
ARC-EN-CIEL	RAINBOW	RÉINBOU
ARGENT	MONEY	MANI
ARITHMÉTIQUE	ARITHMETIC	ARITHMÉTIK
ARMOIRE	CUPBOARD	KÀBED
ARRÊTER (S')	TO STOP	TU STOP
ASCENSEUR	LIFT	LIFT
ASPIRATEUR	VACUUM-CLEANER	VÈKIUMKLINAR
ASTRONAUTE	ASTRONAUT	ÈSTRONOT
ATTENDRE	TO WAIT FOR	TU UÉIT FOR
AUJOURD'HUI	TODAY	TUDÉI
AUTO-STOP	HITCH-HIKING	HITCHHAIKIN
AUTOBUS	BUS	BAS
AUTOMOBILE	CAR	KAR
AUTRUCHE	OSTRICH	ÒSTRITCH
AVANT	BEFORE	BIFÒR
AVEC	WITH	UÌDH
AVION	AIRPLANE	ÈAPLEIN
AVOIR	TO HAVE	TU HÈV

B

FRANÇAIS	ANGLAIS	PRONONCIATION
BAGUE	RING	RIN
BAISER	KISS	KIS
BALAI	BROOM	BRUUM
BALANCE	SCALE	SKÉIL
BALEINE	WHALE	UÉIL
BALLON	BALL	BOL
BANANE	BANANA	BENÀNA
BANC (D'ÉCOLE)	BENCH/DESK	BENTCH/DESK
BANQUE	BANK	BÈNK
BAS (EN)	DOWN	DÀUN
BATEAU	BOAT	BÒUT
BATON	STICK	STIK
BEAUCOUP	MANY	MÈNI
BEAUCOUP	MUCH	MÀTCH
BÉBÉ	BABY	BEIBI
BELLE	BEAUTIFUL	BIÙTIFUL
BÊTISE	STUPIDITY	STIOUPIDITI
BEURRE	BUTTER	BÀTAR
BICYCLETTE	BICYCLE	BÀISIKL
BIEN	WELL	UÈL
BIEN ÉLEVÉ	POLITE	POLÀIT
BIENVENUE	WELCOME	UELCOM

FRANÇAIS	ANGLAIS	PRONONCIATION
BISCUIT	BISCUIT	BÌSKIT
BLÉ	CORN	KORN
BLESSÉ	INJURED	INGERID
BLOND	BLOND	BLOND
BOIRE	TO DRINK	TU DRINK
BOIS	WOOD	UD
BOÎTE	BOX	BOKS
BON	GOOD	GUD
BONBON	SWEET	SUÌT
BOUCHE	MOUTH	MÀUTH
BOUTEILLE	BOTTLE	BOTL
BOUTON	BUTTON	BATN
BRANCHE	BRANCH	BRANTCH
BRAS	ARM	ARM
BROSSE	BRUSH	BRASH
BROUILLARD	FOG	FOG
BRUIT	NOISE	NÒIZ
BUREAU	OFFICE	ÒFIS

C

CADEAU	PRESENT	PRÈZNT
CAFÉ	COFFEE	KÒFI
CAHIER	EXERCISE-BOOK	ÉKSESAIZ BUK
CAMION	LORRY/TRUCK	LÒRI/TRAK
CAMPAGNE	COUNTRYSIDE	KÀNTRISAID
CANARD	DUCK	DAK
CAROTTE	CARROT	KÈROT
CASQUE	HELMET	HÈLMET
CASQUETTE	CAP	KÈP
CASTOR	BEAVER	BÌVAR
CECI	THIS	DHIS
CEINTURE	BELT	BELT
CELA	THAT	DHÈT
CERF	DEER	DÌAR
CEUX-CI	THESE	DHIIZ
CEUX-LÀ	THOSE	DHÒUZ
CHAISE	CHAIR	CÈAR
CHAMEAU	CAMEL	KÈMEL
CHAMPIGNON	MUSHROOM	MÀSHRUM
CHANCE	LUCK	LÀK

FRANÇAIS	ANGLAIS	PRONONCIATION
CHAPEAU	HAT	HÈT
CHASSEUR	HUNTER	HÀNTAR
CHAT	CAT	KÈT
CHÂTAIGNE	CHESTNUT	CÈSNAT
CHÂTEAU	CASTLE	KASL
CHAUD	HOT	HOT
CHAUSSETTE	SOCK	SOK
CHAUSSURE	SHOE	SCIÙ
CHAUVE-SOURIS	BAT	BÈT
CHEMISE	SHIRT	SCERT
CHÊNE	OAK	ÒUK
CHENILLE	CATERPILLAR	KÈTEPILAR
CHER, CHÈRE	DEAR	DÌAR
CHEVAL	HORSE	HORS
CHEVEUX	HAIR	HÈAR
CHÈVRE	GOAT	GÒUT
CHOCOLAT	CHOCOLATE	CIÒKLET
CHOU	CABBAGE	KÈBBEDG
CIEL	SKY	SKÀI
CINÉMA	CINEMA	SÌNEMA
CIRQUE	CIRCUS	SERKES
CISEAUX	SCISSORS	SÌSERZ
CITRON	LEMON	LÈMEN
CLÉ	KEY	KI
COCCINELLE	LADYBIRD	LÉIDIBERD
COEUR	HEART	HART
COFFRE-FORT	SAFE	SÉIF
COIFFEUR	HAIRDRESSER	HÈARDRESAR
COLLIER	NECKLACE	NÈKLIS
COMBIEN?	HOW MUCH ?	HÀU MATCH
COMPRENDRE	TO UNDERSTAND	TU ANDESTÈND
COMPTER	TO COUNT	TU KÀUNT
CONDUIRE	TO DRIVE	TU DRÀIV
CONFITURE	JAM	GÈM
CONTRE	AGAINST	EGHÉNST
COPIER	TO COPY	TU COPI
COU	NECK	NÉK
COURAGEUX	BRAVE	BRÉIV
COURIR	TO RUN	TU RAN
COURSE	COMPETITION	KÒMPITISCEN
COURT DE TENNIS	TENNIS COURT	TÉNIS KORT
COURT	SHORT	SCIÒRT
COUTEAU	KNIFE	NÀIF
COUVERTURE	BLANKET	BLÈNKIT
CRAVATE	TIE	TAI
CRAYON	PENCIL	PENSL
CUILLÈRE	SPOON	SPUUN
CUISINIER	COOK	KUK

D

FRANÇAIS	ANGLAIS	PRONONCIATION
DAME	LADY	LEDI
DANGER	DANGER	DÉINGIAR
DANS	IN	IN
DANSER	TO DANCE	TU DANS
DAUPHIN	DOLPHIN	DÒLFIN
DE	FROM	FROM
DE	OF	OV
DEHORS	OUTSIDE	ÀUTSAID
(LE) DÉJEÛNER	LUNCH	LANTCH
DEMAIN	TOMORROW	TUMÒROU
DEMANDER	TO ASK	TU ASK
DENT	TOOTH	TUTH
DENTIFRICE	TOOTHPASTE	TÙTHPEIST
DENTISTE	DENTIST	DÈNTIST
DERRIÈRE	BEHIND	BIHÀIND
DESCENDRE	TO GO DOWN	TU GÒU DÀUN
DÉSORDRE	MESS	MÉS
DESSERT	DESSERT	DISSERT
DESSIN	DRAWING	DRòIN
DESSIN ANIMÉ	CARTOONS	KARTÙNZ
DESSOUS	UNDER	ANDAR
DEVANT	IN FRONT OF	IN FRANT OV
DIFFÉRENT	DIFFERENT	DÌFRENT
DIFFICILE	DIFFICULT	DÌFICOLT
DESSUS	ON TOP	ON TOP
DÎNER	DINNER	DÌNAR
DINOSAURE	DINOSAUR	DÀINESOR
DOCTEUR	DOCTOR	DÒKTAR
DOIGT	FINGER	FÌNGAR
DONNER	TO GIVE	TU GHIV
DORMIR	TO SLEEP	TU SLIIP
DOUCHE	SHOWER	SCIÀUAR
DRAPEAU	FLAG	FLÈG
DROITE (À)	(On the) RIGHT	RÀIT

E

FRANÇAIS	ANGLAIS	PRONONCIATION
EAU	WATER	UÒTAR
ÉCHELLE	LADDER	LÈDAR
ÉCHO	ECHO	IKOU

FRANÇAIS	ANGLAIS	PRONONCIATION
ÉCLAIRER	TO LIGHTEN	TU LÀITN
ÉCOLE	SCHOOL	SKUUL
ÉCOUTER	TO LISTEN	TU LISN
ÉCRIRE	TO WRITE	TU RÀIT
ÉCUREUIL	SQUIRREL	SKUÌREL
ÉGLISE	CHURCH	CERTCH
ÉLÉGANT	ELEGANT	ÉLIGHENT
ÉLÉPHANT	ELEPHANT	ÉLIFANT
ÉLÈVE	PUPIL	PIÙPL
ENFANTS	CHILDREN	CÌLDREN
ENNUYER (S')	TO BE BORED	TU BI BORD
ENSEMBLE	TOGETHER	TUGHÈDHAR
ENTENDRE	TO HEAR	TU HÌAR
ENTRE	BETWEEN	BITUIÌN
ENTRÉE	ENTRANCE	ÈNTRENS
ENVELOPPE	ENVELOPE	ÈNVILOUP
ÉPÉE	SWORD	SORD
ÉPINARDS	SPINACH	SPÌNIDG
ERREUR	MISTAKE	MISTÉIK
ESCARGOT	SNAIL	SNÉIL
ESSAYER	TO TRY	TU TRAI
ESSENCE	PETROL	PÈTROL
ET	AND	ÈND
ÉTOILE	STAR	STAR
ÊTRE	TO BE	TU BI
ÉTUDIER	TO STUDY	TU STÀDI
EXACT	CORRECT	KORECT
EXAMEN	EXAM	IGZÈM
EXCUSEZ-MOI	SORRY!	SÒRI
EXERCICE	EXERCISE	ÈKSESAIZ
EXPLORATEUR	EXPLORER	IXPLÒRAR

F

FRANÇAIS	ANGLAIS	PRONONCIATION
FABLE	FABLE	FEIBL
FACILE	EASY	ÌZI
FACTEUR	POSTMAN	POUSTMÈN
FAIM (AVOIR)	TO BE HUNGRY	TU BI HÀNGRI
FAIRE	TO DO	TU DU
FATIGUÉ	TIRED	TÀIED
FAUTEUIL	ARMCHAIR	ÀRMCEAR
FÉE	FAIRY	FÈARI
FENÊTRE	WINDOW	UÌNDOU
FERME	FARM	FARM
FERMÉ	CLOSED	KLÒUZD

FRANÇAIS	ANGLAIS	PRONONCIATION
FEU	FIRE	**FÀIAR**
FEUILLE	LEAF	**LIIF**
FIÈVRE	TEMPERATURE	**TÉMPRICCIAR**
FILLE	GIRL	**GHERL**
FILM	FILM	**FILM**
FIN	END	**END**
FLEUR	FLOWER	**FLÀUAR**
FORT	STRONG	**STRON**
FOURCHETTE	FORK	**FORK**
FOURMI	ANT	**ÈNT**
FRAISE	STRAWBERRY	**STRÒBRI**
FRÈRE	BROTHER	**BRÀDHAR**
FROID	COLD	**KÒULD**
FROMAGE	CHEESE	**CIIZ**
FRUIT	FRUIT	**FRUT**

G

GANT	GLOVE	**GLAV**
GARAGE	GARAGE	**GHERÀDG**
GARÇON	BOY	**BÒI**
GARE	STATION	**STÉISCEN**
GÂTEAU	CAKE	**KÉIK**
GAUCHE (À)	(On the) LEFT	**LEFT**
GENTIL	KIND	**KÀIND**
GIRAFE	GIRAFFE	**GIRÀF**
GLACE	ICE	**ÀIS**
GOLF	GOLF COURSE	**GOLF KORS**
GOMME	RUBBER	**RÀBAR**
GORILLE	GORILLA	**GORÌLA**
GRAND	TALL	**TOL**
GRAS	FAT	**FÈT**
GRATTE-CIEL	SKYSCRAPER	**SKÀISKRÉIPAR**
GRENOUILLE	FROG	**FROG**
GRIPPE	FLU	**FLU**
GRUE	CRANE	**KRÉIN**
GUITARE	GUITAR	**GHITÀR**
GYMNASTIQUE	GYMNASTICS	**GIMNÈSTIKS**

H

HABILLÉ	DRESSED	**DREST**

FRANÇAIS	ANGLAIS	PRONONCIATION
HARICOT	BEAN	**BIIN**
HÉLICOPTÈRE	HELICOPTER	**HÉLIKOPTER**
HERBE	GRASS	**GRAS**
HEURE	TIME	**TAIM**
HEUREUX	HAPPY	**HÈPI**
HIER	YESTERDAY	**IÈSTEDEI**
HIPPOPOTAME	HIPPOPOTAMUS	**HIPEPÒTEMES**
HISTOIRE	STORY	**STORI**
HOMME	MAN	**MÈN**
HÔPITAL	HOSPITAL	**HÒSPITL**
HÔTEL	HOTEL	**HOUTÈL**

I

ICI	HERE	**HÌAR**
IDÉE	IDEA	**AIDÌA**
ÎLE	ISLAND	**ÀILEND**
IMAGE	IMAGE	**IMEIDG**
IMPERMÉABLE	RAINCOAT	**RÉINKOUT**
IMPORTANT	IMPORTANT	**IMPÒRTENT**
INCENDIE	FIRE	**FÀIAR**
INDIEN	INDIAN	**INDIAN**
INDIQUER	TO POINT TO	**TU PÒINT TU**
INFIRMIÈRE	NURSE	**NERS**
INTELLIGENT	CLEVER	**KLÈVAR**
INTERDIT	FORBIDDEN	**FORBIDEN**
INTERROGER	TO QUESTION	**TU QUESTION**

J

JAMAIS	NEVER	**NÈVAR**
JAMBE	LEG	**LÉG**
JAMBON	HAM	**HÈM**
JARDIN	GARDEN	**GARDN**
JEUNE	YOUNG	**IÀN**
JOLI	PRETTY	**PRITI**
JOUER	TO PLAY	**TU PLEI**

FRANÇAIS	ANGLAIS	PRONONCIATION
JOUR	DAY	DÉI
JOURNAL	NEWSPAPER	NIÙZPÉIPAR
JUGE	JUDGE	GIÀDG
JUMEAUX	TWINS	TUÌNS
JUPE	SKIRT	SKERT

K

FRANÇAIS	ANGLAIS	PRONONCIATION
KANGOUROU	KANGAROO	KENGHERÙ
KÉPI	KEPI	CHEPÌ
KILOGRAMME	KILO	CHILO
KIOSQUE	NEWSSTAND	NIUSSTEND
KIWI	KIWI	KIUI
KOALA	KOALA	KOALA

L

FRANÇAIS	ANGLAIS	PRONONCIATION
LÀ	THERE	DHÈR
LAC	LAKE	LÉIK
LAINE	WOOL	UL
LAIT	MILK	MILK
LAMPE	LAMP	LÈMP
LANGUE	TONGUE LANGUAGE	TAN LÈNGUIDG
LAVER	TO WASH	TU UÒSH
LEÇON	LESSON	LESN
LÉGER	LIGHT	LÀIT
LENT	SLOW	SLÒU
LEQUEL	WHICH ?	UÌTCH
LETTRE	LETTER	LÈTAR
LIÈVRE	HARE	HÈAR
LION	LION	LÀIEN
LIRE	TO READ	TU RIID
LIT	BED	BÉD
LIVRE	BOOK	BUK
LOIN	FAR	FAR
LOUP	WOLF	ULF
LUMIÈRE	LIGHT	LÀIT
LUNE	MOON	MUUN

M

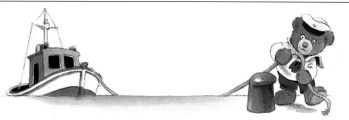

FRANÇAIS	ANGLAIS	PRONONCIATION
MACHINE À LAVER LE LINGE	WASHING-MACHINE	UÒSCINMESCÌN
MAGASIN	SHOP	SCIÒP
MAGAZINE	MAGAZINE	MAGASIN
MAGICIEN	MAGICIAN	MEGÌSCEN
MAIGRE	THIN	THIN
MAIN	HAND	HÈND
MAINTENANT	NOW	NAU
MAIS	BUT	BAT
MAISON (CHEZ MOI)	HOME	HOUM
MAÎTRESSE	TEACHER	TÌCIAR
MALADE	ILL	IL
MANGER	TO EAT	TU IIT
MANTEAU	COAT	KÒUT
MARCHER	TO WALK	TU UÒK
MARGUERITE	DAISY	DÉIZI
MARIN	SAILOR	SÉILAR
MARTEAU	HAMMER	HÈMER
MATIN	MORNING	MÒRNIN
MAUVAIS	BAD	BÈD
MÉCHANT	BAD	BÈD
MÉDICAMENTS	MEDICINE	MÉDISIN
MENSONGE	LIE	LÀI
MER	SEA	SI
MERCI	THANK YOU	THÈNKIU
MIDI	MIDDAY	MIDDÉI
MIEL	HONEY	HÀNI
MINUIT	MIDNIGHT	MÌDNAIT
MIROIR	MIRROR	MÌROR
MONDE	WORLD	UÉRLD
MONTAGNE	MOUNTAIN	MÀUNTIN
MONTER	TO GO UP	TU GÒU AP
MONTRE	WATCH	UÒTCH
MONTRER	TO SHOW	TU SIO
MOTOCYCLETTE	MOTORBIKE	MÒUTEBÀIK
MOUCHE	FLY	FLAI
MOUCHOIR	HANDKERCHIEF	HÈNKECIF
MOUILLÉ	WET	UÈT
MOUSTIQUE	MOSQUITO	MOSKÌTOU
MOUTON	SHEEP	SCIIP
MUR	WALL	UÒL
MUSIQUE	MUSIC	MIÙZIK

FRANÇAIS	ANGLAIS	PRONONCIATION

N

FRANÇAIS	ANGLAIS	PRONONCIATION
NAGER	TO SWIM	TU SUÌM
NAPPE	TABLE-CLOTH	TEIBL-KLOTH
NATURE	NATURE	NETSIAR
NEIGE	SNOW	SNÒU
NEZ	NOSE	NÒUZ
NŒUD	KNOT	NOT
NOIX	WALNUT	UOLNOT
NOM	NAME	NÉIM
NOMBRE	NUMBER	NAMBAR
NON	NO	NÒU
NOUVEAU	NEW	NIÙ
NUAGE	CLOUD	KLÀUD
NUIT	NIGHT	NÀIT

O

OBSERVER	TO LOOK AT	TU LUK ÈT
OCÉAN	OCEAN	ÒUSCEN
ODEUR	SMELL	SMEL
ŒIL	EYE	ÀI
OEUF	EGG	ÉG
OIE	GOOSE	GUUZ
OIGNON	ONION	ÀNION
OISEAU	BIRD	BERD
ONGLE	NAIL	NÉIL
OR	GOLD	GÒULD
ORDINATEUR	COMPUTER	KOMPIÙTER
OREILLE	EAR	ÌAR
OUI	YES	IES

P

PAGE	PAGE	PÉIDG

FRANÇAIS	ANGLAIS	PRONONCIATION
PAIN	BREAD	BRÉD
PAMPLEMOUSSE	GRAPEFRUIT	GRÉIPFRUT
PANDA	PANDA	PÈNDA
PANTALON	TROUSERS	TRÀUSEZ
PAPIER	PAPER	PÉIPAR
PAPILLON	BUTTERFLY	BÀTEFLAI
PARACHUTE	PARACHUTE	PÈRESCIUT
PARAPLUIE	UMBRELLA	AMBRÈLA
PARC	PARK	PARK
PARLER	TO SPEAK	TU SPIIK
PARTIR	TO LEAVE	TU LIIV
PASSEPORT	PASSPORT	PÀSPORT
PATINER	TO SKATE	TU SKÉIT
PÊCHE	PEACH	PITCH
PÊCHEUR	FISHERMAN	FISCERMÈN
PEIGNE	COMB	KÒUM
PEINTRE	PAINTER	PÉINTAR
PEINTURE	PICTURE	PÌKCIAR
PELOUSE	LAWN	LON
PENSER	TO THINK	TU THINK
PERDRE	TO LOSE	TU LUZ
PÈRE NÖEL	FATHER CHRISTMAS	FÀDHEKRÌSMES
PERROQUET	PARROT	PÈROT
PETIT DÉJEUNER	BREAKFAST	BRÈKFEST
PETIT	SMALL	SMOL
PETIT POIS	PEA	PI
PEU	LITTLE	LITL
PEUR (AVOIR)	TO BE AFRAID	TU BI EFRÉID
PHOQUE	SEAL	SIIL
PHOTOGRAPHIE	PHOTOGRAPH	FÒUTOGRAF
PIED	FOOT	FUT
PISCINE	SWIMMING-POOL	SUÌMIN-PUL
PLAGE	BEACH	BIITCH
PLEIN	FULL	FUL
PLEURER	TO CRY	TU KRÀI
PLUIE	RAIN	RÉIN
POCHE	POCKET	POKIT
POIRE	PEAR	PÈAR
POISSON	FISH	FISH
POLICIER	POLICEMAN	PELISMÈN
POLLUTION	POLLUTION	POLÙSCION
POMME	APPLE	ÈPL
POMME DE TERRE	POTATO	PETÉITOU
PONT	BRIDGE	BRIDG
PORT	PORT	PORT
PORTAIL	GATE	GHÉIT
PORTE	DOOR	DOR
PORTER	TO CARRY	TU KERRI
POTAGE	SOUP	SUP

FRANÇAIS	ANGLAIS	PRONONCIATION
POTIRON	PUMPKIN	**PÀMPKIN**
POULE	HEN	**HÉN**
POUPÉE	DOLL	**DOL**
POUR	FOR	**FOR**
POURQUOI?	WHY?	**UÀI**
PARCE QUE	BECAUSE	**BIKÒZ**
POUSSER	TO PUSH	**TU PUSH**
POUVOIR	CAN	**KÈN**
PRENDRE	TO TAKE	**TU TÉIK**
PRÈS	NEAR	**NÌAR**
PRIX	PRIZE	**PRÀIZ**
PROPRE	CLEAN	**KLIIN**
PULL-OVER	SWEATER	**SUÈTAR**
PYJAMA	PYJAMAS	**PEGIÀMEZ**

Q

FRANÇAIS	ANGLAIS	PRONONCIATION
QUAND	WHEN	**UÉN**
QU'EST CE QUE C'EST?	WHAT IS IT?	**UÒT IZ IT**
QUESTIONNER	TO QUESTION	**TU QUESTION**
QUESTION	QUESTION	**KUÈSTCIEN**
QUEUE	TAIL	**TÉIL**
QUOTIDIEN	DAILY	**DÉILI**

R

FRANÇAIS	ANGLAIS	PRONONCIATION
RACONTER	TO TELL	**TU TÉL**
RADEAU	RAFT	**RAFT**
RADIO	RADIO	**RÉIDIOU**
RAISIN	GRAPES	**GRÉIPS**
RANGER	TO TIDY	**TU TAIDI**
RAPIDE	FAST	**FAST**
RAT	RAT	**RAT**
RÉFRIGÉRATEUR	FRIDGE	**FRIDG**
RÈGLE	RULER	**RALAR**
REINE	QUEEN	**KUÌN**
RENARD	FOX	**FOKS**
RENSEIGNEMENT	INFORMATION	**INFEMÉISCEN**
RÉPÉTER	TO REPEAT	**TU RIPÌT**
RÉPONSE	ANSWER	**ÀNSAR**

FRANÇAIS	ANGLAIS	PRONONCIATION
RÉVEIL	ALARM CLOCK	**ELÀRM KLOK**
RHINOCÉROS	RHINOCEROS	**RAINÒSERES**
RICHE	RICH	**RITCH**
RIRE	TO LAUGH	**TU LAF**
RIVIÈRE	RIVER	**RÌVAR**
RIZ	RICE	**RÀIS**
ROBOT	ROBOT	**ROUBET**
ROI	KING	**KIN**
ROSE	ROSE	**RÒUZ**
ROUE	WHEEL	**HUÌL**
ROULER	ROLL	**ROL**
ROUTE	ROAD	**RÒUD**

S

FRANÇAIS	ANGLAIS	PRONONCIATION
SABLE	SAND	**SÈND**
SAC	BAG	**BÈG**
SAC À DOS	RUCKSACK	**RÀKSÈK**
SAGE	QUIET	**KUAIUET**
SALADE	SALAD	**SÈLED**
SALE	DIRTY	**DERTI**
SALLE DE CLASSE	CLASSROOM	**KLÀSRUM**
SALUT	HELLO BYE-BYE	**HALÒU BÀIBÀI**
SANS	WITHOUT	**UIDHÀUT**
SANTÉ (EN BONNE)	HEALTHY	**HÈLTHI**
SAPIN	FIR (TREE)	**FAIAR TRI**
S'ASSEOIR	TO SIT DOWN	**TU SIT DÀUN**
SAUCISSE	SAUSAGE	**SÒSIDG**
SAUTER	TO JUMP	**TU GIAMP**
SAUTERELLE	GRASSHOPPER	**GRÀSHOPAR**
SAVOIR	TO KNOW	**TU NÒU**
SAVON	SOAP	**SÒUP**
SEC	DRY	**DRAI**
SEL	SALT	**SOLT**
SE RÉVEILLER	TO WAKE UP	**TU UÉIK AP**
SERPENT	SNAKE	**SNÉIK**
SERVIETTE	TOWEL	**TÀUEL**
SERVIETTE DE TABLE	NAPKIN	**NEPKIN**
SEULEMENT	ONLY	**ÒUNLI**
SI	IF	**IF**
S'IL VOUS PLAÎT	PLEASE	**PLIIZ**
SINGE	MONKEY	**MÀNKI**
SKI	SKI	**SKI**

FRANÇAIS	ANGLAIS	PRONONCIATION	FRANÇAIS	ANGLAIS	PRONONCIATION
SOEUR	SISTER	SÌSTAR	TRÈS	VERY	VÉRI
SOIF (AVOIR)	TO BE THIRSTY	TU BI THERSTI	TRÉSOR	TREASURE	TRÈGIAR
SOIR	EVENING	ÌVNING	TRICOTER	TO KNIT	TU NIT
SOLDAT	SOLDIER	SÒULGIAR	TROMPETTE	TRUMPET	TRÀMPIT
SOLEIL	SUN	SAN	TROU	HOLE	HÒUL
SONNER	TO RING	TU RING			

FRANÇAIS	ANGLAIS	PRONONCIATION
SONNETTE	BELL	BEL
SORTIR	TO GO OUT	TU GO AUT
SOURIRE	TO SMILE	TU SMAIL
SOURIS	MOUSE	MÀUS
SOUS	UNDER	ÀNDER
SOUS-MARIN	SUBMARINE	SABMERÌN
SOUVENT	OFTEN	ÒFEN
SPORT	SPORT	SPORT
STYLO	PEN	PEN
SUCRE	SUGAR	SCIÙGAR
SUR	ON	ON
SURPRISE	SURPRISE	SEPRÀIS
SUSPENDRE	TO HANG	TU HEN

U

UNIFORME	UNIFORM	IUNIFORM
UNION	UNION	IUNION
UNIVERS	UNIVERSE	IUNIVERTH
UN UNE	A AN	É ÈN
USINE	FACTORY	FÈKTERY
UTILE	USEFUL	IUSEFUL

T

TABLE	TABLE	TÈIBL
TABLEAU NOIR	BLACKBOARD	BLÈKBORD
TAPIS	CARPET	KÀRPIT
TASSE	CUP	CAP
TAXI	TAXI	TÈKSI
TÉLÉPHONE	TELEPHONE	TÈLIFOUN
TÉLÉVISION	TELEVISION	TÈLEVISGION
TÊTE	HEAD	HED
THÉ	TEA	TI
THÉÂTRE	THEATRE	THÌETAR
TIGRE	TIGER	TÀIGAR
TIMBRE	STAMP	STÈMP
TIRER	TO PULL	TU PUL
TOIT	ROOF	RUUF
TOMATE	TOMATO	TEMÀTO
TORTUE	TORTOISE	TÒRTES
TOUJOURS	ALWAYS	ÒLUEIZ
TOUT	ALL	OL
TRAIN	TRAIN	TRÉIN
TRAÎNEAU	SLEIGH	SLÉI
TRAVAILLER	TO WORK	TU UÉRK

V

VACANCES	HOLIDAY	HOLIDÉI
VALISE	SUITCASE	SÙTKEIS
VASE	VASE	VÉIZ
VENIR	TO COME	TU KAM
VENT	WIND	UÌND
VENTRE	TUMMY	TÀMI
VERRE	GLASS	GLAS
VESTE	JACKET	GÈKIT
VÊTEMENTS	CLOTHES	KLÒUZ
VIANDE	MEAT	MIT
VIEUX	OLD	ÒULD
VILLE	CITY	SÌTI
VIN	WINE	UAIN
VISAGE	FACE	FÉIS
VITRE	GLASS	GLAS
VOILE	SAIL	SÉIL
VOIR	TO SEE	TU SII
VOLER	TO FLY	TU FLÀI
VOULOIR	TO WANT	TU UÒNT

W

FRANÇAIS	ANGLAIS	PRONONCIATION
WAGON	WAGON	UAGAN
WATER/CABINET	WATER-CLOSET	UOTAR KLOZET
WHISKY	WHISKEY	WISKI

X

FRANÇAIS	ANGLAIS	PRONONCIATION
XYLOPHONE	XILOPHONE	XZILOFEN

Y

FRANÇAIS	ANGLAIS	PRONONCIATION
YAOURT	YOGHOURT	IOGORT
YACHT	YACHT	IATT
YEUX	EYES	AIS

Z

FRANÇAIS	ANGLAIS	PRONONCIATION
ZÈBRE	ZEBRA	ZÌBRA
ZÉRO	ZERO	ZIROU
ZOO	ZOO	ZUU

FRANÇAIS	ANGLAIS	PRONONCIATION
LES COULEURS	COLOURS	KÀLEZ
ROUGE	RED	RÉD
ROSE	PINK	PINK

FRANÇAIS	ANGLAIS	PRONONCIATION
JAUNE	YELLOW	IÈLOU
MARRON	BROWN	BRÀUN
BLEU	BLUE	BLU
VERT	GREEN	GRIIN
ORANGE	ORANGE	ÒRINDG
VIOLET	PURPLE	PÉRPL
BLANC	WHITE	UÀIT
NOIR	BLACK	BLÈK

FRANÇAIS	ANGLAIS	PRONONCIATION
LES NOMBRES	NUMBERS	NÀMBEZ
ZÉRO	ZERO	ZIROU
UN	ONE	UÀN
DEUX	TWO	TU
TROIS	THREE	THRI
QUATRE	FOUR	FOR
CINQ	FIVE	FÀIV
SIX	SIX	SIKS
SEPT	SEVEN	SÉVN
HUIT	EIGHT	ÉIT
NEUF	NINE	NÀIN
DIX	TEN	TÉN
CENT	ONE HUNDRED	UÀNHÀNDRED
MILLE	ONE THOUSAND	UÀNTHÀUZN

FRANÇAIS	ANGLAIS	PRONONCIATION
LES SAISONS	THE SEASONS	DHE SIZNZ
LE PRINTEMPS	SPRING	SPRIN
L'ÉTÉ	SUMMER	SÀMAR
L'AUTOMNE	AUTUMN	ÒTEM
L'HIVER	WINTER	UÌNTAR

FRANÇAIS	ANGLAIS	PRONONCIATION	FRANÇAIS	ANGLAIS	PRONONCIATION
LES JOURS DE	THE DAYS OF THE	DHE DÉIZ OV	LA MAISON	THE HOUSE	DHE HÀUS
LA SEMAINE	WEEK	DHE UÌK	SALLE DE BAINS	BATHROOM	BÀTHRUM
LUNDI	MONDAY	MÀNDI	CHAMBRE À	BEDROOM	BÉDRUM
MARDI	TUESDAY	TIÙZDI	COUCHER		
MERCREDI	WEDNESDAY	UÈNZDI	CHAMBRE	MY PARENTS'	MAI PÉRENTS
JEUDI	THURSDAY	THÉRZDI	DES PARENTS	BEDROOM	BÉDRUM
VENDREDI	FRIDAY	FRÀIDI	LA CUISINE	KITCHEN	KÌCCIN
SAMEDI	SATURDAY	SÈTERDI	MA CHAMBRE	MY BEDROOM	MAI BEDRUM
DIMANCHE	SUNDAY	SÀNDI	SALLE À MANGER	DINING ROOM	DÀININ RUM
			SALON	LIVING ROOM	LÌVIN RUM
LES MOIS DE	THE MONTHS OF	DHE MONDHS OV			
L'ANNÉE	THE YEAR	DHE ìAR	LES FORMES	SHAPES	SCÉIPS
JANVIER	JANUARY	GÈNIUERI	GÉOMÉTRIQUES		
FÉVRIER	FEBRUARY	FÈBRUERI	UN CARRÉ	A SQUARE	E SKUÈAR
MARS	MARCH	MARTCH	UN RECTANGLE	A RECTANGLE	E RÈKTENGHL
AVRIL	APRIL	ÉIPRIL	UN TRIANGLE	A TRIANGLE	E TRÀIENGHL
MAI	MAY	MÉI	UN CERCLE	A CIRCLE	E SÉRKL
JUIN	JUNE	GIÙN	UN CONE	A CONE	E KÒUN
JUILLET	JULY	GIULÀI	UN PYRAMIDE	A PYRAMID	E PÌRAMID
AOÛT	AUGUST	ÒGHEST	UN CUBE	A CUBE	E KIÙB
SEPTEMBRE	SEPTEMBER	SEPTÈMBAR			
OCTOBRE	OCTOBER	OKTÒUBAR	PRONOMS	PERSONAL	PÉRSONAL
NOVEMBRE	NOVEMBER	NOUVÈMBAR	PERSONNELS	PRONOUNS	PRÒUNAUNZ
DÉCEMBRE	DECEMBER	DISÈMBAR	JE	I	ÀI
			TU	YOU	IÙ
NATIONALITÉS	NATIONALITIES	NÈSCIONÈLITIEZ	IL	HE	HI
AMÉRICAIN	AMERICAN	AMÉRICEN	ELLE	SHE	SCI
JAPONAIS	JAPANESE	GEPENÌZ	IL - ELLE (OBJET)	IT	IT
ARABE	ARAB	ÈREB	NOUS	WE	UI
FRANÇAIS	FRENCH	FRÈNTCH	VOUS	YOU	IÙ
ANGLAIS	ENGLISH	ÌNGLISH			
ALLEMAND	GERMAN	GÉRMEN			
ITALIEN	ITALIAN	ITÈLIEN			
ESPAGNOL	SPANIARD	SPÈNIED			
BELGE	BELGIAN	BELDGIEN			
SUISSE	SWISS	SUIS	ILS/ELLES	THEY	DHÈI
			ADJECTIFS	POSSESSIVE	PEZÈSIV
LA FAMILLE	THE FAMILY	DHE FÈMILI	POSSESSIFS	ADJECTIVES	ÈGIKTIVZ
			MON - MA	MY	MÀI
LES PARENTS	PARENTS	PÈRENTS	TON - TA	YOUR	IÒR
PAPA / LE PÈRE	DADDY/FATHER	DÈDI/FÀDHAR	SON	HIS	HIZ
MAMAN/ LA MÈRE	MUMMY/MOTHER	MÀMI/MÀDHAR	SA	HER	HER
LES ENFANTS	CHILDREN	CILDREN	SON (OBJET)	ITS	ITS
LE FILS	SON	SAN	NOTRE - NOS	OUR	ÀUAR
LA FILLE	DAUGHTER	DÒTAR	VOTRE - VOS	YOUR	IÒR
LES GRANDS-	GRANDPARENTS	GRÈNPÈRENTS	LEUR	THEIR	DHÈAR
PARENTS					
LE GRAND-PÈRE	GRANDFATHER	GRÈNFADHAR	L'ALPHABET	THE ENGLISH	DHI INGLISH
LA GRAND-MÈRE	GRANDMOTHER	GRÈNMÀDHAR	ANGLAIS	ALPHABETE	ÉLFEBET